Há Raposas no PARQUE

CLARA MACEDO CABRAL

Há Rapole
Crónicas Ptuguesa em Londres
Clara Ma...

Copyrighta e QuidNovi
Reservado os direitos para esta edição

Design e pto: QuidNovi
Impressão abmento: Tipografia Peres (www.tipografiaperes.com)

...a edição: aio d009

ISBN: 91...99-6158-0
Depósito legal: 2?8/09

QUIDNOVI

QN – Edição e Contedos, S.A.
Praceta D. Nuno Álvres Pereira, 20 3.º CJ, 4450-218 Matosinhos
Tel. +351 229 388 155 | Fax. +351 229 388 155

Avenida Infante D. Henrique, 333 H 2.22, 1800-282 Lisboa
Tel. +351 218 509 080 | Fax. +351 218 509 089
www.quidnovi.pt | quidnovi@quidnovi.pt

Ao meu filho

Estou grata a Miguel Dória, João Portugal, Filipe Nicolau, Professora Isabel Allegro de Magalhães, todos os amigos que me encorajaram *and especially to my dear husband.*

Café Euphorium

(Março de 2007-Março de 2008)

Março, 2007

O café Euphorium é uma amostra daquilo que Londres tem de melhor, ser o centro do mundo. Sentada nestas cadeiras, tento descobrir em que línguas se conversa nas mesas do lado. O inglês domina, com entoações que vão do americano ao australiano e escocês; nalguns sons reconheço o alemão, o espanhol, o italiano, o japonês, o russo e, curiosamente, o português de Portugal e do Brasil, falado pela maioria dos empregados.

Foi há dois anos que mudei a minha vida para Londres. É uma pergunta que me fazem com frequência: Há quantos anos cá vives? *For how many years have you been living here?* Não me apanha desprevenida. Quantas datas se guardam com a certeza de que inauguram momentos de viragem da nossa existência? A data do casamento, a do nascimento do meu filho e esta, Janeiro de 2005, um Inverno frio, escuro e chuvoso, assim o corpo mo recorda. Dizem que só a partir do sétimo ano de permanência neste país se deixam de riscar os anos no calendário, se perde a contagem dos anos. Ainda lá não cheguei.

À força de aqui vir diariamente, torno o café meu, algo de que tanto preciso, porque o que mais custa quando se troca de país, como vim a descobrir, não é a perda da língua-mãe, de familiares, amigos, clima ou paladares; mas a de lugares.

Sem esses marcos por onde se dispersa a minha história, que é feito da memória de quem sou? Os lugares são pedras-de-toque da memória, vivificam-na, intensificam-na. Têm um poder que não concedo a fotografias, filmes, cartas, diários, canções. Os lugares marcam a memória porque são físicos, porque interagem com o corpo. São o que os nossos sentidos captam: uma especial inclinação do sol, a cor do céu, a altura das nuvens, a textura e o cheiro do ar, a qualidade do som e do silêncio. Mas são também o modo como a nossa sensibilidade e inteligência apreendem e se adaptam a uma determinada cultura.

É desse modo que o Chiado, o Bairro Alto, as Avenidas Novas, a Praça de Londres, o Castelo, as Portas do Sol, Alfama, uma gaveta cheia de camisolas de lã e a vista do meu quarto me devolvem à casa antiga, que deixei. Tenho medo de que desapareçam e com eles o que fui, a lembrança do que fui. Revisito-os e à vida que sob eles se aninha para fazer melhor o que faço continuamente, tentar entender, e comparar, comparar sempre – síndroma de todos os migrantes e exilados – a casa antiga, a casa nova.

Ilumino sombras, quem éramos? Haverá uma ponte entre o que fui e aquilo que me vou tornando? Lavo feridas e encho-me de compaixão. É fácil perdoar quando se vive fora. A casa velha tinha defeitos, oprimia. Oprimia a expectativa de viver uma vida inteira numa cidade-aldeia como Lisboa, mas tinha a radiação do princípio, e todas as comparações e transformações se fazem a partir dela.

Asfixiavam os lugares, carregados de memórias velhas, sem espaço para memórias novas. Como *disquetes* ou *USB pens,* exigiam que a casa fosse varrida, limpa, que à lixeira fossem parar as memórias menos marcantes. Mas, agora que recomeço a vida numa cidade gigante, os lugares deixados perderam o peso que alguma vez lhes senti; e os novos amedrontam-me, vazios, rasos de memórias. À minha frente está toda uma vida por encetar e neles se inscrever. E a sensação de claustrofobia de quem se habituou a viver numa cidade pequena.

Na casa nova, passada a intoxicação da aventura, da libertação, do arrebatamento, da facilidade da vida quotidiana, sou uma nómada necessitada de abrigo, de uma parede familiar sobre a qual desenrole o mapa de lugares-luz-talismã que travem os lugares vazios, da não memória.

Gosto de cidades antigas como as duas por onde reparto a vida, Lisboa e Londres. Cheias das vidas dos que nelas viveram. Carregadas da memória dos que por aqui passaram. Electrificadas por candeeiros de ferro que mantêm o modelo dos tempos a gás. Bruxuleantes luzes amarelas que não ferem a vista. Cidades assim imprimem-se, entranham-se, infiltram-se e fazem-me diferente em Londres do que sou em Lisboa.

Este é o lugar que adoptei. Chama-se Euphorium Bakery, pois, tendo sido ampliado para se tornar um café, era uma despretensiosa padaria da primeira vez que aqui entrei. Apenas um corredor estreito em frente de um balcão e filas madrugada cedo, rua adentro, guarda-chuvas abertos, à espera de um *take away*. Pão, bolos, *croissants, pain au chocolat, pain aux raisins* e bebidas em copos de papel, *cappucinos, caffé latte, chocolat or tea*. Mal havia espaço para mesas e cadeiras, quanto mais para um canapé! Mas além do canapé para gente sem pressas, e de uma esplanada para os mais encalorados, existe hoje uma sala nas traseiras com sofás de couro e lareira decorativa, onde as mães estacionam os *buggies* e amamentam as crias. Eu pertenço ao rol.

O patrão, um jovem na casa dos vinte, percebeu cedo que o negócio prosperaria se abrisse a casa aos *buggies* que se atropelam nas ruas de Islington, o segundo distrito mais familiar de Londres. Não confundir com família tradicional, referência politicamente incorrecta de que me apercebi quando as outras mães me perguntavam pelo meu *partner,* e nunca pelo meu marido.

Islington tem uma forte tradição literária. Aqui viveram Mary Wollestonecraft, Charles Dickens, George Orwell, Evelyn Waugh. Aqui situaram alguma da sua ficção. Nos anos 60, a vila de pastoreio transformou-se num modesto bairro *middle class* e atraiu alguns intelectuais. Hoje ainda aqui vivem alguns escritores (Nick Hornby), artistas (Colin Firth) e actores-boémios (como Kirsten Dunst, impopular entre a vizinhança, cansada das suas «*wild garden parties and thumping music*» para as quais muitos recebem convite no *pub* local). Mas, com a proximidade da City, os artistas tornaram-se uma minoria na fauna de empregados bancários, empresários, informáticos, *free lancers* que, com salários entre o razoável e o astronómico (alguns milhões de libras só em prémios anuais), dispararam o preço do mercado imobiliário. As barrigas das mães têm soprado na proporção desta abundância.

O número de filhos por mulher no Reino Unido é de 1,9, o mais elevado desde 1973. Ou segundo outra estatística, em 2007, registaram-se mais 90 000 nascimentos do que em 2001, um crescimento de 16%, fomentado por uma imigração crescente (um quarto dos bebés nasce de mãe não-inglesa) e por um número significativo de mulheres que engravidam depois dos quarenta.

A gravidez é aqui uma moda muito decente, assim como é decente amamentar em público, ver crias com dentes ainda a mordiscar a mama da mãe ou ficar em casa nos primeiros anos de vida das mesmas.

Eu alinho com o *mainstream,* com o único desvio de ter tido um parto com epidural, droga milagrosa de que me tornei acérrima defensora, depois de ter assistido a todas essas sessões gratuitas do Sistema Nacional de Saúde, que propagandeiam o parto natural e a estóica resistência à dor. Ensinada a respirar e a gemer ao longo das contracções, induzida ao uso de posições activas para expelir a criança, a disparar os choques electromagnéticos da TENS *machine (Transcutaneous Electrical Nerve Stimulator)* e a entrar em piscinas para atenuar a dor, sempre soube que na hora da verdade iria falhar. Por isso, no meu *birth plan,* papelinho que aqui se entrega à parteira mal se entra no hospital, pedia apenas que me administrassem a sagrada epidural *a.s.a.p (as soon as possible),* a maior conquista para a mulher a seguir à pílula! O meu parto de quarenta horas, imobilizada numa cama a acabar numa episiotomia, foi o que sempre temi, dada a minha genética matriarcal, coisa feia de ser falada, aqui, no país do *understatement*[1]. Amesquinhante mesmo, se comparado com o parto de Emily num centro de parto activo *(active birth center),* imerso em água e livre de outros paliativos, estragos ou rasgões: «*No drugs, no damages!*»[2], como ela pronta-

---

[1] Expressão mitigada dos factos.
[2] Sem drogas, sem danos.

mente se autocondecorou. Ou o de Louise, que, assistida por duas experientes parteiras em casa, em menos de duas horas tinha a filha cá fora. O parto em casa ou num *birth center,* centros geridos exclusivamente por parteiras e vistos como alternativa ao parto no hospital ou em casa, estão muito na moda por estas paragens. Foi nas sessões de preparação para o parto que me dei conta dessa singularidade: não digo todas, mas algumas das inglesas caminhavam para o parto com a displicência de quem vai ao dentista e pede para não levar anestesia, fazendo-me até nisto sentir parte da raça dos fracos: eu nunca poderei falar daquelas horas sem sentir pena de mim mesma, no mesmo queixume com que falo agora das noites sem pregar olho, enquanto Emily há-de falar sempre do que lhe acontece como fala de quanto chove este Março, *oh dear!,* e sai para a chuva com uma *T-shirt* no pêlo e a filha enfiada num vestido de Verão.

As sessões pré-natais fizeram-me também vislumbrar uma fractura de opiniões, a dividir as poucas médicas e as mais frequentes parteiras que contactei (aqui chamadas *midwifes* e dotadas de uma ordem profissional, o RCM, Royal College of Midwives). As parteiras tentavam aliciar-me para um parto sem drogas, um parto que lhes deixasse espaço de intervenção; as jovens médicas, pelo contrário, tranquilizaram-me quanto aos efeitos colaterais da epidural e disseram-me o que eu queria ouvir: não havia necessidade de sofrer.

Neste país, o acompanhamento da grávida está reduzido ao básico. Numa gravidez sem risco, é raro o contacto com o médico, cingido a umas quantas ecografias no hospital. A parteira é quem nos examina a urina, apalpa e mede a barriga, mais espaçadamente no início, mais assiduamente para o final. Mais chocante é a política de admissão da parturiente no hospital: exigem-se contracções de cinco em cinco minutos a durar um minuto e com dois centímetros de dilatação (o que me valeu uma espera em casa de vinte e quatro horas); e a velocidade com que depois tentam recambiar a mãe e o recém-nascido para casa: no dia seguinte, se possível. Tudo isto porque muitos hospitais registam uma média de 700 partos por mês.

Estou, no entanto, infinitamente agradecida ao médico anestesista que em quinze minutos suprimiu a dor do meu corpo, à concessão gratuita que me fizeram de um quarto individual durante as três noites que permaneci no hospital, sem o qual estaria exposta às berrarias dos bebés da enfermaria e, finalmente, às visitas pós-natais. Fui da última fornada agraciada com a visita domiciliária das assistentes de saúde (aqui chamadas *health assistants)* que pesavam o recém-nascido, vigiavam o meu aleitamento e em geral anotavam num caderninho encarnado o meu lastimável estado lacrimejante sem que me pudessem aliviar o fardo. Todo o peso do mundo tinha aterrado na minha cabeça sem ninguém com quem o dividir. É isso tornar-se mãe.

Depois do parto, tentei socializar naqueles grupos de mães da Euphorium que ruidosamente comparam mamadas, fraldas, noites, dentes e maridos. Mas, como me deixavam extenuada e era sempre das mais caladas, fico agora sentada a um canto com um olho no jornal e outro à cata dos brinquedos que a criança caprichosamente atira ao chão.

Da janela da Euphorium, espreito as casas georgianas do outro lado da rua, de tom acastanhado escuro, chaminés de diferentes alturas, alinhadas como pistões de um trompete. É a perda da inocência que leva a optar pelo isolamento ou é o isolamento que denigre o mundo e o despoja de inocência? Que é feito desses jorros de inocência, a sombra da casa velha, asas de andorinhas no céu azul de Lisboa? Roda da vida, acelerada pela troca de países, pela sobreposição de lentes que julga ampliar o conhecimento dos homens. Mas o conhecimento dos homens não é o conhecimento da vida, berra o meu filho esganado de fome, a reclamar a sua mamada. Ponho-o ao peito. Mudo fraldas, acalmo-o, faço-o arrotar, embalo-o, adormeço-o. É isso o conhecimento da vida. A aprendizagem, o gozo de cada uma destas tarefas, tão mecânicas, tão naturais, tão viscerais, tão exigentes de abdicação e sacrifício. E consolo-me com o pensamento de que, melhor ou pior, todas venceremos a missão de servir os filhos a 100% e nem uma só escapará a cair à cama, exausta, todas as noites.

Maio, 2007

Acordei de manhã a ouvir na rádio como o romantismo se eclipsou: o sonho das mulheres é casarem-se com um homem rico, de preferência empresário ou futebolista, pois, independentemente dos esforços feitos, o estatuto económico-social familiar será ditado pelos rendimentos do marido. A premissa é a de que os salários das mulheres são inferiores aos dos homens, fosso que se acentua com a chegada da maternidade, o recurso ao trabalho em *part-time,* frequente no Reino Unido, e o inevitável prejuízo nos descontos para a reforma.

Há algo avassalador nesse cálculo pérfido, de Lívias e Messalinas que não se rendem ao amor, ou que o misturam com doses generosas de conveniência pessoal. É a desistência das mulheres de lutarem por um estatuto económico-social-profissional-intelectual seu, por paradoxo no século XXI quando ele mais está ao seu alcance, e a preferência por se colarem ao estatuto de WAG (Wives and Girlfriends), cunhado inicialmente para mulheres ou namoradas da equipa de futebol nacional do Reino Unido, sendo talvez a WAG mais famosa Victoria Beckham. Desde 2004 que as WAG entraram na gíria popular e rapidamente se desmultiplicaram em WOW – the Wives Of Wimbledon, as mulheres e namoradas dos tenistas de Wimbledon, e em SWAG – Summit Wives And Girlfriends – as mulheres e namoradas dos líderes do G8, ocorrido em 2006, em Sampetersburgo. As WAG, que vendem capas de revistas do mundo inteiro e são copiadas por outras quantas mulheres do Planeta, apresentam uma rara capacidade para comprarem até tombarem dos saltos altos, sorrirem para as câmaras a qualquer hora do dia, entenderem as tácticas do último jogo, sem esquecerem faculdades linguísticas para a eventualidade de o marido ser transferido para Madrid.

Deixemos o retrato-caricatura dessas Barbies plásticas, falemos não de *jets* privados mas de pessoas que querem pôr a comida na mesa todos os dias, e haverá alguma verdade nesse pensamento único, global, subterrâneo, que ribomba nas cabeças das mulheres: um pai rico para os nossos filhos, por favor! De Portugal ao Reino Unido e ao Japão. Sim, um amigo japonês queixava-se da irremediável pobreza que lhe espaventava as namoradas e o condenava ao celibato.

Seria injusto atribuir às mulheres uma maior vontade de roupas de marca, *Mercedes* descapotáveis, cremes, massagens, viagens, casas, de modo rápido e indolor. O consumismo apela tanto a homens como a mulheres, não é particularidade sexual, é individual. Que bens se trocam na transacção é a questão a apurar: estarão as mulheres mais dispostas, mais compelidas a vender-se «sexualmente» a um materialismo supérfluo, e mais que no passado? Parece a pergunta errada, agora que elas não precisam de procurar refúgio social e económico no casamento e se podem divorciar, empobrecendo, mas não morrendo de fome.

A verdade é que a independência financeira da mulher não é para aqui chamada e não muda em nada o que acontece, desde tempos imemoriais e em todas as civilizações, nos comportamentos dos sexos. Os homens querem mulheres «boas», as mulheres preferem homens ricos ou com poder. Os homens priorizam a atracção física, e as mulheres lutam pela preservação da espécie, da sociedade e da classe social, por esta ordem de prioridade, o que significa que mais depressa sacrificam a atracção física do que a «classe sócio-económica», e sacrificam a «classe» se procriar for a urgência. Não digo que o façam de modo premeditado e consciente porque, as mais das vezes, tudo se mistura: entre bichos carregados de regras sobre o erotismo, amor e casamento, a atracção sexual é também ditada por factores sociais.

Estamos longe dos tempos em que Mary Wollstonecraft (1759-1797) se queixava das fantasias românticas das raparigas de classe média, suas conterrâneas; da má preparação recebida pelas filhas, na casa paterna, em trânsito directo para a casa onde se tornavam mães. Mas não chegámos ao que Wollstonecraft preconizava para o futuro: mulheres menos interessadas em suscitar a luxúria, mais empenhadas em cultivar «virtudes», auto-estima e respeito. Mulheres a casarem por amor, tornado durável pela capacidade de discernimento, pela análise da compatibilidade de interesses e de temperamentos: «*In some future revolution of times, to become, what I sincerely wish them to be, then love would occupy its proper sphere in human activities, and a woman would marry out of love made more durable by judgment.*»[3]

Nesse sentido não se avançou: para muitas de nós, a finalidade, tanto quanto o que delas se espera, é o papel de enfeite, de agradável brinquedo de brincadeiras que cedo ou tarde saturam e a ascensão pelo casamento: «*the desire to establishing themselves the only way women can rise in the world – by marriage. And this desire making mere animals of them, when they marry they act as such children may be expected to act — they dress, they paint and nickname God's creatures.*»[4]

Seja como for, não se dêem de barato as batalhas de Wollstonecraft e de outras avós. Ter a possibilidade de uma profissão, do seu exercício, recusa ou adiamento, é diferente de não a ter. É como ter o direito de voto e, por opção, não o exercer. A conquista de um emprego, salário, carreira, a gratificação extradoméstica, a construção de uma mulher fora de portas, mesmo que tal conquista inclua a descoberta da competição, escravidão ou tédio, é algo de que uma mulher não se deve descartar, sob pena de cair novamente na escravidão sexual.

Nem de propósito, tenho encontro marcado com cinco mães e dou por mim a pensar em cada uma delas. Nos empregos e salários dos respectivos maridos, nos quais se escudam para atravessar a primeira infân-

---

[3] Numa futura revolução dos tempos, o que eu sinceramente desejo que aconteça, o amor ocupará uma esfera adequada na actividade humana e a mulher casar-se-á por amor, tornado mais duradouro pelo discernimento.

[4] O desejo de se estabelecerem do único modo que as mulheres podem ascender no mundo - pelo casamento. E este desejo faz delas meros animais, quando se casam comportam-se como se espera de crianças - vestem-se, pintam e usam diminutivos para designar as criaturas de Deus.

cia dos filhos. No temporário abrandamento ou inactividade profissional por que optaram e no modo como as suas ambições foram redefinidas. A Laura, a Valeria, a Emily, a Eilleen e a Ivana. O ponto de encontro é a Euphorium e daí partimos para mostrar a quinta, a *farm*, aos pequenos.

Admito a falta de disciplina e paciência para frequentar as sessões de *baby massage*, os *parent support groups*, as aulas *Pilates with crèche*[5], e memorizar as músicas que às quintas-feiras se cantam para as criancinhas em todas as bibliotecas de Islington, só para citar alguma da catrefada de actividades que a comunidade é pródiga em organizar.

Mas ir à *farm* não custa nada. São dez minutos a pé e já lá estamos. Porcos, coelhos, galinhas, ovelhas, cabras, vacas e gansos. É das poucas distracções que se fazem pelos filhos e que de facto nos arejam o espírito, ou nos devolvem a ilusão de liberdade. No coração de Londres, viajamos para muito longe, ouvindo o cocorocócó do galo, cheirando o feno que os trabalhadores empilham, observando as lavagens que fazem da pocilga e o modo como lavam a seco as galinhas, esfregando-lhes areia na pele. Os trabalhadores são deficientes físicos ou mentais e quem os emprega uma organização não lucrativa ou ONG.

Laura é uma das minhas amigas supermulheres. Conheci-a nas aulas de Ioga de preparação para o parto, uma mulheraça de mão cheia, meia-irlandesa, que deu à luz por processo natural dois gémeos com cinco quilos cada, atrasados duas semanas (o que equivaleria a um mês de atraso numa gravidez uniovular) e que ela queria por força ter em casa com a parteira. Foi apenas quando já tinha sete centímetros de dilatação que deu entrada no hospital para dar à luz de cócoras o primeiro dos gémeos e o segundo deitada na cama. Laura ainda amamenta os gémeos de 15 meses, cozinha comida orgânica comprada na Holland and Barrets ou no *farmer's market* e entretém os gémeos sozinha

---

[5] Sessões de massagem ao bebé, grupos de apoio aos pais, aulas de Pilates com creche.

todo o dia, porque o marido trabalha na City e chega a casa muitas vezes à meia-noite.

O marido, dez anos mais novo, não ganha especialmente bem e Laura sente-se pressionada a trazer dinheiro para casa, por isso tentou o regresso à profissão. Desviando os gémeos das bicadas dos gansos, conta-nos como tem andado superocupada. Numa vida anterior, era actriz *free lancer*. Actuava em teatros de *pub*, fazia anúncios publicitários e *tournées* de Verão na Alemanha. Há umas semanas, conseguiu voltar ao palco, num *pub* em Upper Street, uma peça de Tom Stoppard. Diz que lhe soube às mil maravilhas o regresso pós-maternidade, mas o privilégio não deu para pagar os serviços da *childminder* – uma ama, por vezes mãe, que toma conta de criancinhas em casa própria – e andou umas semanas a recuperar, após o fecho da peça. Não chega desejar regressar ao trabalho, diz-nos, a escolha tem de ser economicamente vantajosa.

A decisão que uma mulher faz de voltar a trabalhar tem por base factores puramente económicos; nem pressões sociais, nem pressões psicológicas internas. Simples e pragmático. Se o que elas ganham cobre o elevado custo do *childcare* ou cuidado infantil (a escolha é vasta: *baby-sitter, childminder, au-pair* ou creches) e é indispensável para pagar o empréstimo bancário, então elas regressam ao mercado de trabalho. Caso contrário, ficam em casa quatro anos seguidos, idade em que os filhos começam a escola primária, se entretanto não engravidarem de um segundo e terceiro filhos. E não sentem qualquer vergonha de dizer que estão em casa a gozar os filhos, mesmo porque os benefícios sociais não são maus: um *voucher* de 250 libras (aproximadamente 375 Euros) para iniciar a conta bancária de cada filho, 72 libras a pingar por mês na conta bancária da mãe e reduções fiscais caso os rendimentos do agregado familiar não ultrapassem as 60 000 libras por ano.

Valeria, uma florentina que ao oitavo mês de gravidez se despediu do Bank of America por já não suportar a pressão da vida bancária, optou pela rampa da maternidade e vai brevemente ter o segundo filho com um intervalo de dezoito meses do primeiro. Anda apreensiva, desejou esta gravidez, mas dezoito meses de diferença quase equivale a ter gémeos de idades diferentes. Tirando essas, não conhece preocupações de espécie material. O marido, executivo bancário, remunerado principescamente, deu-lhe o aval para se despedir e ficar em casa a criar os filhos.

Emily partilha igual desejo de maternidade a cem à hora e tem marido que a apoia. Recomeçou há pouco o trabalho em *part-time* de osteopata. Encara-o com uma excelente terapia ocupacional que a liberta da filha três manhãs por semana. As massagens que dá nas costas rendem-lhe 40 libras cada meia hora, ou seja, cobrem os serviços da *childminder* a quem confia a filha. Sem planos para passar a trabalhar a tempo inteiro (*«I am just going to enjoy my daughter for the time being»*[6]) já tem data agendada para a segunda gravidez (*«rather sooner than later»*[7]) pois a meta são mesmo as três.

Eilleen, advogada, é das poucas que vai voltar ao trabalho a tempo inteiro, mas, ainda sem coragem para se separar da filha, requereu uma extensão de seis meses da licença de maternidade. O patrão é legalmente obrigado a recebê-la ao fim de um ano de licença e ela aceita o ónus de não ser remunerada ao longo do segundo semestre. Confessa-nos como já está a conjecturar partilhar o trabalho em *part-time* com uma colega que está grávida e o patrão não tem como escapar a mantê-las e cobrir a segurança social de ambas.

Falta apenas falar de Ivana, uma croata professora de violino segundo o método Suzuki. Tínhamos-lhe perdido o rasto porque deixou de ter dinheiro para viver em Islington e vive agora em Alexander Park, na zona três de Londres, o modo que encontrou de reequilibrar o orçamento familiar, penalizado pela momentânea inactividade profissional. Não tem sequer planos para voltar ao trabalho porque o que ganharia não pagaria o *childcare*.

---

[6] Por agora, vou apenas gozar a minha filha.
[7] Mais cedo do que tarde.

Rodeada de tais exemplos, não me sinto mal por adiar a ida da criança para o infantário, continuar a mimá-la e a sofrer as consequências disso. Minto. Um ligeiro desconforto instala-se em vaivéns. Compele-me a bater à porta de creches que vasculho de alto a baixo, apenas para confirmar que não cumprem os meus padrões de asseio, espaço e luz. Problemas que crio a mim mesma, que só a mim afligem. Os ingleses têm estranhos padrões de limpeza, vislumbráveis no metro, hospitais, repartições públicas. E faz parte do ofício de habitar a cidade do mundo mais cara em imobiliário saber amotinar cinquenta crianças, tanto quanto uma família, em duas ou três divisões, esconsas e barulhentas.

O último livro de Brazelton, um pediatra americano da moda que recomenda às mães ficarem em casa até ao terceiro ano e meio de vida dos filhos, também me tem ajudado no auge das muitas crises. É que não tem sido fácil renegar anos e anos de educação e preparação feministas, ao longo dos quais jurei a mim mesma não repetir o ancestral modelo feminino, e ver-me agora a ecoar o que dizem as últimas correntes feministas: é insubstituível o papel de mãe nos primeiros anos de vida dos filhos. Ironia das ironias, ser feminista nos dias de hoje é ficar em casa a cuidar dos filhos. É apostar mais na família, e não tanto no trabalho, durante a infância dos filhos. É ter aprendido a lição. A lição de que as mulheres que tentaram abraçar a carreira e a família, as chamadas «supermulheres», perderam mais do que ganharam.

Leio-o num livro intitulado *Women and Employment: Changing Lives and New Challenges*[8], publicado pela Edward Elgar Publishing, que analisa o comportamento social nas últimas três décadas, escrutinando a opinião pública no Reino Unido, nos Estados Unidos e na Alemanha Ocidental. No que respeita ao Reino Unido, atingidas que foram atitudes mais igualitárias do que nos anos 80 graças a um surto de medidas económicas para recolocar as mulheres no mercado de tra-

---

[8] *Mulheres e Emprego: Transformar Vidas e Novos Desafios.*

balho, começam agora a ponderar os problemas sociais que daí derivaram. As reivindicações para a igualdade entre os sexos atingiram o seu pico nos anos 90 e de então para cá têm perdido força. De acordo com sondagens, é cada vez maior a percentagem de pessoas que pensa que a vida familiar se ressente com a mãe a trabalhar fora ou que receia que as mulheres com força activa no mercado de trabalho o façam à custa da vida familiar. Em 1987, 63% das mulheres e 72% dos homens ingleses pensavam que era tarefa do homem ganhar dinheiro e da mulher olhar pelos filhos. Em 2002, só 31% das mulheres e 41% dos homens pensam assim. «O brilho, a aura das supermães está a desaparecer.» (*The shine of the super-mum is wearing off.*) É humanamente impossível abraçar simultaneamente uma carreira poderosa, fazer bolos e ler histórias aos nossos filhos ao deitar. As feministas dizem que o problema reside ainda no facto de estes locais de trabalho terem sido construídos por e para homens. Afinal, uma maior flexibilidade de papéis e o fim das longas jornadas de trabalho (e longas neste país significa bater a porta às cinco da tarde, com excepção de alguma finança e advocacia) beneficiaria todos: o negócio, a economia e a sociedade. Mas, mesmo que os postos de trabalho mudassem, diria com Gloria Steinem que o problema persistiria, pois é ainda o de os homens não serem tão bons ou não estarem tão bem preparados para criar filhos como as mães, tudo porque continuamos a educar confirmando a tradicional divisão de papéis e de tarefas dos sexos.

Devotada à cria, a adiar outros projectos de realização pessoal, com o mecanismo de um relógio, encaminho-me para a Euphorium. À memória vem-me o último relato telefónico feito por uma amiga portuguesa de noites em branco a debelar o vírus que o filho contraiu na creche. Nem ela, nem uma mãe francesa, Véronique, a quem custa a adaptação à jornada britânica, sem pausas para almoço – quantas vezes uma sanduíche ou salada frias à mesa de trabalho –, parecem tirar especial prazer da combinação trabalho-maternidade. Em mercados competitivos, quantas vezes não chegam a casa e mal vêem os filhos, aqui impreterivelmente na cama entre as sete e oito horas da noite? Como se não bastasse, uma é obrigada a jantar esporadicamente com o patrão e a outra a passar fins-de-semana com colegas. O mundo das mães há-de ser sempre tocado por estas ambivalências e o melhor mesmo é resignarmo-nos e abdicarmos quanto antes de qualquer rebelião, não gastarmos esforços, calarmos divisões e culpas, a troco da possível felicidade. Sirva de consolo que mais tarde ou mais cedo a servidão acabará e outra começará, garantem-me outros pais em fases mais avançadas, num suspiro de saudade.

O meu também é um trabalho a 24 horas: repetitivo, extenuante, o de criar um filho no estrangeiro, a sós, sem noites de ócio que momentaneamente atordoem a canga em torno da qual giro. Sem culpa, encaminho-me para os meus mimos diários, o *latte* e o *pain aux raisins*. Vou ouvir os últimos desabafos dos empregados portugueses sobre a exploração do patrão e enquanto não vou de férias fico a saber, através deles, como vai Portugal. A Joana, que voltou agora da «terra», diz-me que o Cacém cresceu novamente, que o Eng.º Sócrates «engenhou» encher o bolso com os aceleras e com os que devem ao fisco e que os amigos e parentes que acabam a faculdade com cursos de Gestão e Jornalismo não conseguem emprego. Mas que, apesar de muito se queixarem, os portugueses continuam a gozar uma vida pacata e relaxada. A ver vou.

Setembro, 2007

Estou de volta e, se me soube bem ver Lisboa, não me sabe menos bem o regresso a Londres. É um privilégio ter um pé em dois mundos que contrastam e apenas distam duas horas e meia de avião. Param os queixumes e os resmungos, pois, quando apertam os males e aflições de um deles, corre-se para o refúgio do outro. E já lá vai o tempo em que me moíam saudades ou em que a custo me convencia de que a troca era para melhor. Ao fim de dois anos e meio, são tão naturais o caminho de regresso por um aeroporto gigante, sem familiares à nossa espera, o comboio expresso que faz a ligação a Paddington, as casas vitorianas de Warwick Avenue, os canais de Little Venice, a opulência de Regent's Park, como o são o minúsculo Aeroporto da Portela onde tento a custo encontrar a cara da minha mãe, a Segunda Circular e os prédios que comprimem o Eixo Norte-Sul.

Falando de contrastes, em duas horas e meia de avião, abandonei um Verão com temperaturas que alcançam 30º C e aterro em pleno Outono pronto para agasalhos e saudado pelas criancinhas que fingem tomar banho nos montes de folhas de Highbury Fields.

Para trás ficaram a luz, os tons, sons e sabores de outra cidade. A luz mais forte e longa de Lisboa. O azul brilhante e liso do céu a entrar pelo Tejo dentro, do mesmo modo que o céu de Londres tinge de barro as águas do Tamisa. O som com espaço para o silêncio, o latido de cães, as conversas de balcão, os saltos a baterem na pedra da calçada, às vezes o sino a retinir, Lisboa é uma aldeia. De sabores a fritos e a grelhados na brasa, refeições de garfo e faca, servidas em pratos, copos de vidro e toalhas que fazem nódoas ou que se anotam e rasgam.

Aldeia de queijinhos, *pâtés,* azeitonas, saladinhas de polvo, pratinho de enchidos, sardinhas, meias-doses, dose e meia, bife, doce da casa e licores. Refeições que boicotam as tardes, cerimonial a que me afoito logo pela manhã. Com pequenos-almoços que não são o *take-away,* o Starbucks, o Costa, ou mesmo a Euphorium, mas tomados no café de bairro, uma torrada e uma meia de leite, por favor, enquanto observo o despacho de empregados que envelhecem com a casa. Empregados que em camisa branca e calça preta, alguns ainda de bigode – um século atrás dos *piercings* que me atendem na Euphorium –, trocam com os clientes sons de uma língua almofadada a que me encosto sem dar atenção.

Ali me demoro enquanto o meu filho ficou pela primeira vez entregue à creche de preços tão baratos (20 euros ao dia) e caras tão confiáveis (quem sabe apenas por nos entendermos na mesma língua e eu entender melhor preocupações primárias de higiene, agasalho e sono do que pedagogias Montessori) que reconsidero pela primeira vez a minha decisão de viver em Londres.

Foi bom vestir de novo essas impressões, esses sentidos. Dormentes pontes para o passado. E, apesar do *stress* do muito que sempre há a fazer, deixar o corpo relaxar e entorpecer, entregue ao calor, ao sol, aos sons abafados, à vista parada de praças e ruas meio vazias.

Numa Londres de multidões de passo apressado, acordadas vinte e quatro horas por dia, volto aos pratos frios (saladas e sanduíches) de uma cidade que não desperdiça tempo. Sou arrastada outra vez por esta onda jovem, carregada da energia de quem sonha, ousa e tenta mudar de sorte, enquanto escrevo numa Euphorium apinhada de gorros, casacos compridos, cachecóis, lãs, gente da minha idade que não parece sofrer de melancolia, faltas de emprego ou de dinheiro.

Também eu não sofro de melancolia, apesar de revolver e de me aquecerem uma mão-cheia de momentos de fim de tarde que tardaram em cair, entre amigos e gargalhadas ditas na única língua em que posso entender piadas, as mãos entretidas a descascarem castanhas assadas e os olhos postos na serra de Sintra. A melancolia é uma doença a que apenas sucumbo nos velhos cafés de Lisboa, cheios da desolação que dá a visível falta de dinheiro e o desaparecimento do comércio tradicional. Impossível transplantá-la para Londres.

Por vezes quero-a de volta, como a um velho hábito que custa despir, mas nem o fado de Coimbra, comprado em Lisboa numa reedição do *Público* que homenageia Adriano Correia de Oliveira, joga bem com as paredes altas e a acústica de uma casa *earlier Victorian*. Camané, Glenn Gould, Brad Meldhau soam bem, mas o fado puro pede tectos baixos, um aconchego de tasca ou taberna. Assim, enquanto navego numa *wireless connection* nas edições do DN e do *Público* e folheio a edição em papel que a Euphorium fornece diariamente do *Times* e do *Guardian,* contento-me em comparar a imperfeição de ambos os mundos e em concluir que apenas quero o que tenho, esse hemisfério dividido, os pés a tentarem equilibrar-se em cada metade, a ilusão de entender o melhor e o pior de cada uma delas. A perspectiva de alguém sempre à distância, a decantar costumes, o ridículo dos costumes, o ridículo das gentes e depois limpas do ridículo, na frágil humanidade e encantamento das culturas do mundo.

Apenas quero esta mesa à parte na Euphorium, pessoas que entram e saem, vultos que ondeiam na vidraça das janelas, tão impessoais para mim quanto eu sou impessoal para elas, inexistente mesmo, cada vez mais inexistente, à medida que o tempo passa sobre aquela mesa e eu cada vez mais distante dos cafés, de amigos, da Lisboa que como mancha vai recuando e que para mim ficou, lá atrás, parada no tempo.

Outubro, 2007

O Outono tem sido lindo. Dias brilhantes de sol. Um manto de folhas doiradas, ferrugentas, cor de limão, em camadas sobrepostas, esconde o verde dos parques londrinos e convida a uma brincadeira a que os parques de Lisboa não se prestam. Crianças constroem montes de folhas, como nas praias se constroem montes e castelos de areia, e depois, entretidas, espojam-se sobre os mesmos. Os pais ajudam-nas e atiram mãos-cheias de folhas sobre os cabelos dos filhos.

Às três da tarde, basta dar um pulo a Highbury Fields para se ter esta visão. Mas os dias são demasiado curtos, às quatro já escurece, às cinco é noite cerrada, por isso, como muitas mães, corro para poder aproveitar ao máximo o tempo de luz diurna fora de casa.

A minha última digressão pelos *fields* ocorreu o fim-de-semana passado, a pretexto da visita que nos fez o mestre de *sushi* do melhor restaurante japonês de Londres, Mr Uemura, ou Uemura-sun, em japonês. Enquanto por ali passeávamos, dei conta de mais um banco de madeira, ainda não inaugurado e coberto com tiras plásticas por cortar. É um destes bancos que encaram o parque com a seguinte gravação nas costas: «Em afectuosa memória de quem aqui passou tempos tão felizes entre amigos. 1979-2007.» (*«In loving memory of who spent so many happy times here with his friends. 1979-2007.»*); foi doado naturalmente pelos familiares e amigos do falecido. A *British sensitivity* tem um *péchant* por bancos em parques. Ali onde alguém se costumava sentar a contemplar o parque, o jardim, os filhos, se os houve, a brincar e a crescer, existe um marco da sua passagem.

Ao trazer o morto para o meio dos vivos, o banco desdramatiza a morte, desformaliza-a. Ao mesmo tempo recorda o morto num cenário tão do agrado desta cultura. Os parques, o verde, a chuva, a sucessão das estações. E, desse modo, comove, toca. Calha bem a esta sensibilidade que canalizou tão estritamente a expressão de sentimentos de amor e mágoa para o lirismo e a poesia, levada a um ponto que fez Henry James afirmar, pela boca da sua heroína Isabel Archer, serem os ingleses um dos povos mais românticos do mundo.

Há dias dei mesmo com um banco coberto de flores como se de uma sepultura se tratasse. Uma pequena excursão tinha sido feita ao banco para assinalar o aniversário de Linda, como descobri pela inscrição: «Com amorosas lembranças. Para Linda. 1921-2006.» (*«Fondest memories, for Linda. 1921-2006.»*)

Uma vaga nostalgia permeia também a conversa que Mr Uemura, o mestre de *sushi,* mantém comigo e o meu marido. A bem dizer, mais com o meu marido, pois Mr Uemura mal arranha o inglês e o meu marido, falante de japonês, não perde a oportunidade de praticar a língua.

Mas lá vou entendendo as partes da conversa que me chegam no possível inglês de um japonês. Na casa dos sessenta, Uemura-sun vive em Londres há uns sete anos, depois de ter passado uns quantos em Amesterdão. Como grande parte dos japoneses que aqui se instalam, é alguém desadaptado do Japão e da exigência que comporta viver naquela sociedade, assente numa complicada escala de hierarquia, submissão e obediência. Não que a vida lhe seja menos dura no Ocidente, já que o mestre de *sushi* trabalha por conta de um japonês, como em geral os japoneses por aqui fazem. Privado de férias há dois anos e a descansar apenas aos domingos, levanta-se às seis e meia da manhã todos os dias, fecha o restaurante às dez da noite, chega a casa depois das onze (uma casa comunitária propriedade do patrão e albergue de mais pessoal do restaurante), passa os olhos pelos jornais japoneses e ingleses do dia e deita-se às duas da madrugada.

De há quarenta anos a esta parte que habituou o corpo a quatro horas e meia de sono por noite. A rotina do seu dia-a-dia inclui preparar o peixe, cortá-lo, cozinhar a sopa de *miso* e o arroz, tarefas que, por obrigarem a um permanente contacto das mãos com a humidade, as deformaram. E, como se não bastassem os clientes de balcão e de mesa, o patrão introduziu recentemente a venda de *sushi* em *take-away* e aboliu o período de fecho entre o fim da hora de almoço e a hora do jantar, duas horas durante as quais o mestre passava pelas brasas numa cama ao lado da cozinha. O mesmo rigor aplica-se a todos os outros empregados, impedidos de receber gorjeta, caras novas e frescas que vêm para Londres aprender inglês, tarefa hercúlea para qualquer japonês.

A única folga do mestre está reduzida aos domingos, dia em que se costumava encontrar com o meu marido nos seus tempos de solteiro, o que não deixou de fazer quando a família se formou.

Enquanto passeamos nos *fields,* o mestre de *sushi* reentra pela enésima vez no seu tema de conversa predilecto: o Japão da sua infância. O querido, desaparecido Japão que sobrevive na sua memória e aquece os seus dias e anos de exílio. Como terá sessenta anos, remontamos ao pós-guerra e à sua terra natal, na vizinhança de Kumamoto, capital da ilha de Kyūshū. Ali desembarcou S. Francisco Xavier, em 1549, que louvaria o povo japonês como «as melhores pessoas que alguma vez descobrimos». Ali se iniciou o chamado «século cristão», ao longo do qual 300 mil japoneses se converteriam; para serem depois perseguidos, martirizados e quase erradicados (os cristãos representam hoje 1% da população), logo que os *shoguns* recearam interferências políticas no poder local por parte da Igreja Católica.

Remontamos a uma região e família pobres, de oito filhos. Os habitantes da sua aldeia, cerca de 20 000, vivem da agricultura, produzem arroz, vegetais, muito melão. Rodeados de montanha e longe do mar, praticam a pesca de rio. Os pais, naturais de Tóquio, desceram socialmente no pós-guerra. O pai era um engenheiro que fabricava cilindros de moto e depois canhões para os navios de guerra japoneses. A seguir à guerra, com cinquenta anos, perdido o emprego e a possibilidade de outro, levou a família para Kumamoto, onde abriu uma loja de venda de *tofu,* leite de soja. O equivalente no Ocidente a uma padaria, já que o leite de soja é um dos principais e mais baratos alimentos da dieta japonesa. Na sua labuta diária, os pais deitavam-se às oito da noite e levantavam-se às quatro da manhã para cozinhar, mexer e remexer durante horas o *tofu* ao lume, até este adquirir a consistência de uma massa branca gelatinosa. Às seis da manhã, o *tofu* estava pronto e a loja abria. Por ocasião de uma festa especial, na qual se come leite de soja frito, ainda acordavam mais cedo e distribuíam depois o *tofu* por todos os familiares que entretanto chegavam para a festa. Os pais do mestre de *sushi,* já falecidos, viveram até aos noventa, o que não é invulgar no Japão, um país com 30 000 idosos acima dos cem anos. Como explica ele isso? Alimentação com baixos níveis de colesterol, à base de vegetais, arroz, peixe meio cru e sopa de miso, liberta de poliinsaturados. Leve em carne, sal e açúcar. No Japão, os bolos não se fazem com farinha, mas de preferência com vegetais, feijão e *tofu*. E depois o muito que o japonês puxa por si, física e psicologicamente, não conheço país tão exigente em ambos os sentidos, que em vez de matar enrijece. Não posso esquecer o modo como no metro os japoneses adormecem de pura exaustão entre as paragens e um outro pormenor das minhas duas visitas aos *onsen,* em inglês *hot springs,* piscinas naturais quentes e sulfurosas onde japoneses de todas das idades não fazem senão banhar-se, comer e relaxar. Nesse destino de férias, o criado acordava-nos às seis da manhã para desfazer o *futton* e servir no quarto desmontado o pequeno-almoço: peixe grelhado, uma malga de arroz e vegetais, refeição difícil para os nossos estômagos sequiosos de um pequeno-almoço continental.

Outra das memórias recorrentes do mestre de *sushi* é a dos passeios pela montanha na companhia dos irmãos e de outras crianças. Porque as crianças pululavam no Japão do pós-guerra. Nesse tempo, cada família tinha habitualmente oito filhos, criados uns pelos outros e pela família alargada com a qual viviam: avós, primos, tios. Os miúdos mais velhos ensinavam aos mais pequenos onde encontrar os frutos, dióspiros e raízes, mas também o que não recolher ou em que proporção recolher para não comprometer a regeneração. De dia, a montanha; à noite, o rio. Às oito da noite, antes de se deitar, Uemura entrava dentro da água e estendia as redes de emalhar. Acordava às quatro da madrugada para recolher, de entre as malhas, o peixe abundante e variado. Uemura assegura-me que ainda hoje, na costa, longe das grandes cidades, os pescadores oferecem peixe a quem desça à praia de madrugada e partilham ali mesmo, com quem quer que se aproxime, o que grelham na areia.

A infância na boca de Uemura é uma recordação feliz. Nada é lamentado: não ter ido à escola, ter encetado tão cedo a luta pela sobrevivência, ter nascido e continuar pobre, sem casa, mulher, filhos. Encontro nos seus a mesma alegria infantil de outros olhos japoneses. Turistas de chapéu, ténis e máquina a tiracolo, ou os que vi trabalhar arduamente nos restaurantes, cafés e hotéis de Tóquio. Não encontro mágoa ou autocomiseração nestes orientais. O indivíduo importa menos do que a comunidade, a família, o grupo. Os casamentos arranjados ainda representam 60% da totalidade. Uemura-sun explica-me o desprendimento material dos monges budistas que habitam um singular mosteiro junto a uma montanha próximo de Quioto. Os monges vão morrer ao coração dessa montanha ao longo de um ritual apelidado Hieizan Kaihogyo, similar a uma maratona com a duração de mil dias. É uma maratona para a morte, aberta anualmente. Quando se sentem preparados, os monges pedem autorização ao superior para nela participarem. Em mil dias, preparam a despedida deste mundo, albergam um só desejo no coração e na mente: o desprendimento terreno. Mil dias transpostos na floresta, a dormir escassamente durante o dia, a corrê-la à noite na mais desolada solidão, parando apenas para rezar. Indefesos às agruras do tempo e ao ataque de animais. Em sandálias, sem agasalhos, armas ou alimentos cozinhados.

Como o monge da Cartuxa que cava todos os dias um pouco da sua cova, também o monge budista de Hieizan Kaihogyo se prepara

para esta maratona desde o primeiro dia e hora de admissão ao convento. Uemura-sun conheceu um Yakuza, alguém que pertenceu à máfia japonesa, admitido no convento.

O noviço empreende etapas progressivamente mais exigentes e de preparação para o passo final. O passo para os mil dias, o não regresso ao mundo terreno, está em geral reservado aos mais velhos. O monge que permaneça mil dias na floresta morre necessariamente nela, não se coloca a questão de sobreviver e regressar, o que equivaleria a falhar e morrer para a comunidade.

As nossas conversas gravitam em volta desse Japão pobre do pós--guerra, da sua espiritualidade, já que o mestre se mostra descrente do Japão dos nossos dias. Os japoneses trabalham demais para pagarem o conforto de tecnologias a que não sabem resistir, as casas japonesas são barulhentas com as crianças ligadas à televisão, a jogos de consola, ao *Macintosh,* os pais mal vêem os filhos, criados pelas mães e muitas vezes sem irmãos ou outra família por perto. Nada que o Ocidente desconheça, portanto.

Acompanhamos Mr Uemura à boca de metro e despedimo-nos com um *harigato gozaimashita* e uma vénia que não deve ser nem mais alta nem mais baixa do que a que ele nos retribui. Até à semana que vem, no balcão do restaurante.

Novembro 2007

Um balcão de *sushi* no centro de Londres. Onde? Dobra-se a esquina e lá está ele, podia ser aqui ou nas ruas de Tóquio: o pequeno restaurante de uma rua estreitíssima, central mas quase despercebido a um olho mais vagueante, mais distraído, sinalizado por caracteres japoneses em néon. Entra-se e o espaço é pequeno, mas não em demasia, apenas proporcional, como o de um tatâmi, medida que multiplicada dá a dimensão de cada um das divisões de uma tradicional casa japonesa. Vénias que se dão e se recebem, três ou quatro mesas de madeira no rés-do-chão que passamos sem ocupar, pois queremos sentar-nos ao balcão, trocar umas breves palavras com Mr Uemura, que nos acena, nos cumprimenta, *Irashyaimase* (Bem-vindos), vestido a preceito, chapéu alto e bata branca, faca a descer sobre o peixe; e, depois das palavras, o silêncio, o som controlado, da cozinha, das malgas de laca, dos pauzinhos de madeira, a concentração de um ritual, cheio de pausas, de retomas, de olhares mais descidos do que erguidos.

Outra cara a que nos acostumámos vem e oferece-nos chávenas de chá verde fumegante. O profissionalismo é um hábito inquebrantável num japonês, e mesmo a menos especializada das profissões, nesse mundo altamente especializado e técnico, é intransferível. Não falo apenas do mestre de *sushi,* que levou uma vida a aprender a sua profissão, falo da recepcionista, de quem levanta e lava pratos, quem embrulha uma compra nas dobras de um papel, de acordo com preceitos que levam tempo a dominar. Já lá vão quarenta e dois anos desde que

Uemura-sun iniciou a aprendizagem da arte do *sushi* num conhecido restaurante de Osaka. Muito antes de ser autorizado a usar uma faca no peixe, lavou pratos, esfregou chão, aprendeu pela observação dos mais velhos, uma aprendizagem de nenhumas palavras, perguntas ou dúvidas formuladas, a escolher o peixe mais fresco e saboroso, a cortar em teoria e segundo várias técnicas o mesmo peixe, aprendeu os vários passos de cozedura do arroz ao longo de três horas, aprendeu tudo acerca do leilão de peixe que se pratica nas lotas do Japão, onde ao contrário do Ocidente não é estabelecido um *plafond* máximo de preços por variedade de peixe. Uma peça de salmão, de dourada, de enguia – solitária, única, sem concorrentes – pode atingir em leilão preços inimagináveis, arrebatada pelos luxuosos restaurantes de Osaka, Tóquio, Quioto.

Num mesmo dia, recolho experiências contrastantes. Na Euphorium, aonde regresso ao fim do dia para verificar que metade das caras dos empregados foram substituídas, o que impera é o amadorismo, a ausência de profissionalização. Todas as funções são desempenháveis, sem período de estágio ou formação, por quem entre ao serviço da casa. De uma penada, já não são as duas portuguesas, a espanhola e a polaca quem faz os *cappuccinos,* os *caffe latte* e os *caffe mocha* e os trazem à mesa, mas uma inglesa, uma austríaca e um francês. Pena. Já me tinha familiarizado, encetado conversas, conhecia parte daquelas vidas. Que aconteceu?, pergunto à gerente, uma ruiva pintada de Lisboa. O patrão aqui paga mal, o trabalho duplicou em pouco tempo, mas, pior do que isso, não há uma palavra de reconhecimento. Ela despediu-se e deve ter havido desentendimento, pois despeja em acerto de contas um chorrilho de fofocas. É um *nouveau riche* desconfiado, não quer contratar familiares, nem mais falantes de português, pois tem medo de que se conluiem para o roubar. Ela vai com o namorado, um DJ, explorar um bar no Brasil, em Paraty, que atrai turistas endinheirados. Parte em breve para o Verão brasileiro. Com sorte, trabalha de Dezembro a Abril e o resto do ano tira férias.

Outra das portuguesas foi estudar teatro, uma ambição comum na comunidade portuguesa, e faz um *part-time* ao sábado numa loja de molduras de Upper Street; uma outra mudou-se para uma loja de moda. A espanhola, de Salamanca, concorreu para uma loja de fotocópias em Essex Road.

Mudança. Já me habituei à velocidade a que as coisas aqui acontecem. Os restaurantes de Upper Street fazem obras num abrir e fechar de olhos. De tudo se encontra, cozinha persa, grega, turca ou vietnamita, e até o McDonald's lavou a cara e oferece umas cadeiras de *business man* ao pobretana que ali se recosta. As pessoas mudam de apartamento em média uma vez por ano. Arrendam, subarrendam (às escondidas, por ser proibido) ou compram. Neste último caso, pagam um novo *stamp duty* a uma taxa de 10% sobre o valor da aquisição, mas tal não parece refrear o apetite dos londrinos e dos muitos imigrantes de girar pelos quatro cantos de Londres. Os agentes imobiliários abrem novas lojas, fundem-se, mudam de nome (a Chesterton fundiu-se com a Coppying Joyce). O nosso *pub,* num cisco de tempo, mudou de cara e de gerência. Perdeu o impagável carácter bairrista, a clientela pensionista de meia-idade, difícil de avistar em qualquer outro lugar, os habitantes genuínos que recordam como Islington era há uma dezena de anos, e tarde fora se enfrascam, uma *pint*[9] a seguir à outra, comentando os últimos jogos de críquete e de futebol. Perdeu o cliente número um, Jerry «*the hat*», assim conhecido por não destapar a cabeça, Jerry flor de mau cheiro, à beira do coma alcoólico, a contar piadas racistas. Clientes como Jerry tinham de desaparecer quando as paredes verdes passaram a brancas e a alcatifa encarnada foi arrancada, mostrando agora um bonito sobrado de madeira, reflectido em espelhos de corpo e meio de altura. Pois o nosso *pub* é agora asséptico e varreu toda a lixeira necessária ao charme, à quintessência de um *pub* londrino, apesar de preservar os sofás de couro e os bancos altos, com estofos verdes, em frente ao balcão. Tudo isto teve estrondosa repercussão no menu, que passou a acusar uma sensibilidade orgânico-nutricionista e a fazer-nos pesar

---

[9] Medida de cerveja.

a consciência quando preferimos o *burguer/steak/fish & chips,* em detrimento da dourada grelhada ou de um linguado com feijão verde.

A efemeridade atinge, de igual modo, o mercado laboral. A oferta de emprego é em barda e poucos lhe resistem. Saltitam os empregados desqualificados e os mais habilitados: da vida académica para a bancária, pois os bancos pagam bem melhor do que as universidades, de casas de leilão como a Christie's para um consultório de psicologia, de uma loja de livros antigos para a advocacia.

A reciclagem aqui é fácil, a dita profissionalização atingida em recordes de tempo, a iniativa própria estimulada. Conheço uma licenciada em Literatura que num ano adquiriu umas noções básicas de Direito e passou o exame de acesso à advocacia. E conheci pelo menos três alfarrabistas que se desempregaram para trabalharem por conta própria.

O meu jornal favorito, o FT *(Financial Times),* confirma o que vejo. Desde 1998 o Governo Labour criou dois milhões de empregos, metade dos quais agarrados por estrangeiros. De acordo com o *Daily Telegraph* de hoje, quatro em cada cinco empregos vão parar a estrangeiros. Além de uma economia de pleno emprego, escorre dinheiro nas ruas de Londres. Chelsea, Belgravia, Knightsbridge, têm a maior concentração de bilionários e multimilionários deste planeta, por vezes apenas ali ficticiamente domiciliados para beneficiarem do regime de impostos com que o governo de Blair e agora o de Brown lhes acenam.

O meu mundo é sacudido por esta ebulição. Cada vez que lanço âncora na volatilidade desta terra, um machado vem e zás! Leva-me a *baby-sitter,* a vizinha, a quase-amiga. Afeiçoar-me a alguém é correr o risco de que essa pessoa desapareça na curva da esquina. Em dez meses, contratei duas *baby-sitters,* uma brasileira que me deixou «na mão» e uma polaca que voltou a casa. A Laura, mãe dos gémeos, partiu para o Dubai. A Valeria pressiona o marido para voltarem a Itália. A Katryne já aceitou emprego para o próximo ano na Alemanha, onde a política de incentivo à maternidade garante às mães, caso se despeçam, os mesmos salários que auferiam no activo. A Euphorium tem expansão projectada para Hampstead e Belsize Park e o patrão comentou connosco os planos de exportação para o Dubai, a intenção de vender a marca assim que esteja consolidada e a ansiada reforma antes dos quarenta em Barbados, ponto de passagem dos Portugueses, depois colónia britânica, ainda hoje ao gosto inglês. Longe vão os tempos em que havia brio em manter uma casa comercial na família, confiá-la à geração seguinte. O segredo do negócio está à vista. Trata-se de fazer a vindima e a colheita do lucro o mais depressa possível. Os empregados e gerentes mal pagos e não especialmente fadados para a vida de balconista chegam e partem em corrupio. Ganham 4 a 5 libras à hora, em pé atrás do balcão ou em baixo na cozinha a amassar, cozer e empacotar pão e bolos. *Mind you,* num *pub* a fazer turnos nocturnos, ou num restaurante a lavar pratos, o salário não melhora. Nem em pequenos biscates, como a venda nocturna e na rua de copos de *vodka,* o que para mulheres é pouco recomendável.

Aqui pelo menos acresce um complemento em géneros, comer à vontade e levar as sobras para casa, pois a comida é tanta que se empilha em sacos de plástico ao fim do dia.

Trabalho não qualificado mais bem pago, para mulheres, só a dias, a 7 libras a hora. Para homens, as oportunidades multiplicam-se, podem ser gerentes de *pub (pub manager,* diz-se aqui) fazer entregas de moto ou trabalhar na construção civil, trabalho duro às vezes debaixo de neve, que pode render entre 10 e 20 libras à hora, dependendo de o trabalhador estar legalizado ou ser ilegal.

Do antigo *staff* da Euphorium restam três brasileiros, mais dóceis e pacientes, que o patrão recompensou com os lugares vagos de gerente e de assistente de gerente, aos quais incumbe formar e dirigir os recém-contratados.

Mas talvez o que me parece paciência ou docilidade seja apenas a falta de oportunidade destes brasileiros para dar o salto. Pois, na escada de oportunidades, os brasileiros têm menos asas do que os europeus. A precisarem de renovar o visto de residência em Londres anualmente, dependem para tanto de uma requisição da entidade patronal.

Se deixam de renovar o visto ou se nunca o tiveram, caem na ilegalidade e o mesmo é dizer que rebolam para as mais variadas extorsões, desde piores remunerações às manobras nada escrupulosas de senhorios que se cobram de umas semanas de renda em avanço e depois declaram que já arrendaram a casa a outrem, só para dar um pequeno exemplo. Talvez seja por isso que a revista brasileira *Leros,* de distribuição gratuita à comunidade brasileira imigrada em Londres, anuncie serviços para desencantar antepassados italianos que habilitam a um passaporte europeu. Mas não se pense que basta o dito antepassado italiano, mais valioso do que qualquer antepassado português (pois nunca vi nenhum brasileiro sequer mencionar um antepassado português e um italiano todos se gabam ter tido). Depois de desencantar um Lucca ou um Giovanni, é preciso mexer muita burocracia e untar muita mão. E assim se refaz a escada de exploração social, neste mundo de riqueza e pleno emprego que espalha o seu charme de *El Dorado* pela Europa de Leste, a Índia, a Rússia, a China e tudo o que pertence ou pertenceu à Commonwealth.

Enquanto ali estou a comer o meu habitual *pain aux raisins,* que entretanto também mudou porque encurtou de tamanho, entra uma das caras habituais, um dos raros idosos de Islington, passo vagaroso e bengala, em calção curto, um hábito que lhe ficou dos tempos que passou na Marinha, como me informou. Vem aqui todos os dias e presumo que viva sozinho pois nunca lhe vi acompanhante. Desejoso que está de meter conversa com quem quer que seja, tem nas mães um alvo fácil. Também eu não tenho com quem conversar todo o dia, o meu interlocutor apenas balbucia Ma-ma. À saída, o ex-marinheiro despede-se do meu filho para repetir o que já o ouvi dizer a uma meia dúzia de mães: *«Babies with blue eyes are the best.»*[10] E pisca os olhos, os dele também na sua cor favorita.

[10] Os bebés com olhos azuis são os melhores.

Dezembro, 2007

O meu filho tem agora a sua terceira *baby-sitter* (B.B), a Gisela. A minha experiência ensinou-me que as brasileiras são jeitosas como babás, assim como as polacas, a nacionalidade da primeira foragida, e é uma vantagem entendermo-nos em português, a língua que falo com o meu filho.

A Gisela veio substituir a Marcela, a segunda B.B., descoberta na Euphorium num dia em que, desesperada pelas noites insones e pelo choro incontrolável, ali entrei suplicando por alguém que me valesse. Quando a segunda B.B me comunicou que já não me podia dar um *part-time,* pois no emprego a *full-time* fora promovida e esperavam dela mais horas e dedicação, entrei em pânico. A experiência com a segunda B.B fora tão boa, a jovem afeiçoara-se depressa à criança, onde ia eu desencantar outra assim? À minha volta, pelo que podia ver, a competição por uma *nanny* era danada. Como eu, as restantes mães da Euphorium não tinham família por perto e qualquer creche, depois de quatro digressões feitas nas imediações, revelava-se mais cara do que uma *nanny.* Em qualquer delas pagava uma pequena exorbitância (56 libras por dia, 600 libras por mês em *part-time,* mais de 1000 libras por mês em *full-time,* as Montessori à roda mesmo das 1500 libras, e todas com o ónus de pagar férias de Natal, Verão, Páscoa). Tudo isto para poder largar um filho num espaço acanhado, sujo e barulhento e o trazer para casa ao fim do dia muitas vezes doente e sem a sesta feita, o que equivale a dizer maldisposto.

Vim a descobrir afinal que estava em vantagem em relação a todas as outras mães na corrida por uma B.B. Porquê? Porque secretamente todas as empregadas da Euphorium desejavam trabalhar em *part-time* para mim e através da minha segunda B.B chegavam-me nomes de B.B. disponíveis para a substituir.

Podia escolher entre uma portuguesa, uma brasileira e uma espanhola, todas caras conhecidas e sobre as quais podia formar uma opinião. Fiz três entrevistas e decidi-me por esta brasileira, recém-chegada a Londres, que planeava vir a trabalhar para a Euphorium e acabou em minha casa. A Gisela. O meu filho parece não ter estranhado a mudança para esta B.B, que não só tirou de cima dos meus ombros dar-lhe o almoço e o banho, como ainda me aliviou de tarefas domésticas menos apetecíveis.

Aliviada, arrumei num canto os prospectos de creche e os livros sobre o método Montessori, a bíblia das creches que visitei. Vi o suficiente desta pedagogia da moda em prática: criancinhas deixadas à vontade a chapinhar em água, a mexer em areia, massa e lentilhas pintadas com caril, sobre música de fundo relaxante. Nada tenho contra o objectivo Montessori e muito gostava de poder instilar autoconfiança em doses generosas no meu filho. Desconfio apenas de que, mais uma vez, essa seja uma conquista ditada pelos genes ou alcançável por esforço e treino pessoal.

Através da Gisela tenho tido acesso ao mundo da imigração brasileira em Londres. Com passaporte brasileiro e italiano, vistosa e bem vestida, aqui aterrada há um mês, a Gisela já recebeu uma proposta para vender a sua nacionalidade europeia através de casamento fictício. Explico: ela casa-se com um dos brasileiros sem passaporte europeu que aqui vivem ilegalmente com as dificuldades e exploração que tal acarreta. Casa-se no registo ou na igreja, «tira foto, faz festa com convidado e copo-d'água e depois nem tem de ir viver com o moço, como nos EUA», mas não pode durante cinco anos casar-se com mais ninguém. Ao fim de cinco anos, ele adquire a nacionalidade europeia e já podem divorciar-se. Existe mesmo uma tabela de preço para este serviço: 5000 libras.

Garante-me, no entanto, que a proposta não a tenta nem um boca-dinho: «Imagina, nem pensar!» Como já me disse várias vezes, não está aqui porque precise, porque no Brasil até tem uma boa vida. Está aqui para aprender inglês, «ver museu», e pretende voltar ao Brasil e procu-rar emprego como psicóloga, a sua área, no interior Norte, onde a con-corrência é menor. Brasileiro é ave de curta arribação. São muitos os que aqui permanecem para além do autorizado período de seis meses e que passam à ilegalidade, mas uma esmagadora maioria regressa ao Bra-sil ainda jovem, ainda a tempo de recomeçar outra actividade profissio-nal, nos bolsos o dinheiro amealhado para a compra de um aparta-mento ou para montar um negócio.

Ultrapassada a repelência em relação a tais métodos que destroem e se aproveitam de uma sociedade assente na família, instituição a que me converti depois de anos a renegá-la, não posso deixar de imaginar como a Gisela vai ter de resistir a algumas investidas na casa que parti-lha com oito brasileiros que aqui vivem há alguns anos sem intenção de regressarem ao Brasil. Um deles, Bertrand, é operário da construção civil e poderia passar a ganhar diariamente 20 libras à hora com passa-porte europeu, em vez das 10 libras que tira com passaporte brasileiro.

Um outro *room mate,* ou colega de quarto, Celso, trabalha em entregas de moto ao domicílio e tira 3500 libras por mês (o equivalente a 5250 euros por mês) mas não goza nem domingos nem feriados. Se, como ela me diz, Bertrand e Celso conseguem aqui sobreviver com 800 libras por mês mas no Brasil precisariam de 2500 reais para atin-girem o mesmo nível de vida, está explicado porque não querem regres-sar a casa. Além disso, no Brasil têm de dizer adeus a bens de importa-ção tecnológicos, como consolas de *videogames*, PC, penalizados com elevadas taxas.

De vez em quando, aterra na residência de Gisela um outro «tipo» de brasileiro, menos disposto a trabalhar no duro, amarrar-se a um emprego, mais voltado para hoje em Londres, amanhã em Ibiza ou em Amesterdão, girar no mundo e ir curtindo em *drugs, alcohol and sex.* Têm entre vinte e trinta anos, pagam a vida atrás de um balcão ou a servirem à mesa e entretanto, dizem, aprendem «o inglês», ganham bronze, fazem mais uns quantos *piercings* e tatuagens, «vêem a Europa».

Saio da Euphorium a correr, pois perdi a conta às horas e já está na hora de saída da B.B, e tropeço no meu antigo vizinho, Peter Powell, também ele um ex-libris de Islington que, sem tempo para mais, me entrega um dos seus panfletos com a última *literary excursion around Islington* (excursão literária à roda de Islington) que a sua imaginação forjou, o seu ganha-pão depois de se ter reformado, entre outras coisas, da banda de Ringo Starr. Mas isso deixo para a próxima *letter.*

Janeiro, 2008

Estou eu a escrever ao computador quando sou subitamente interrompida por um inglês que me pergunta se sou escritora. Digo-lhe que não, que apenas escrevo umas linhas numa língua que estou certa ele não poderá entender.

Ele, então, conta-me que acabou de escrever um livro, *The Glass Trumpet (O Trompete de Vidro)* sobre um miúdo filho de pais muito religiosos que não querem que ele toque trompete e muito menos *jazz*. Os quatro filhos que tem adoraram e – suprema glória – a mãe octogenária conseguiu ler as trezentas páginas até ao fim. Depois de baldados esforços junto a uma dezena de editoras – sim, o mundo editorial é difícil em qualquer parte do mundo – conta-me que desistiu de procurar editor, prefere mesmo publicar por sua conta e risco, já que os direitos de autor, *royalties*, são uns irrisórios 8% sobre o preço de venda do livro.

Com sorte – sonha alto –, um amigo que tem, já na posse de um guião de adaptação cinematográfica, vende o produto a Hollywood e faz um êxito de bilheteira igual ao de Harry Potter. Comprou uma grade de champanhe à espera de celebrar o glorioso evento, diz para me arrancar uma gargalhada. E por detrás da sua gargalhada avisto o chamamento, a fé, o credo na sua veia literária. Ó suprema ilusão de todos os que se deitam a escrever mais do que a necessária burocracia e os sociáveis e-mails e SMS.

2007 foi ano propenso a sonhos, malabarismos, cavalgadas para muitos londrinos, e este, que já ganhou a vida na apanha da fruta, numa fábrica, como estafeta e fotógrafo pop, habituado a tentar a sorte, não quer perder a maré. 2008 por certo prolongará o petisco dos que arrisquem. Dá-me um passou-bem à despedida e o seu nome, Mark Cairns. Meio ano depois, vejo um cartaz na Euphorium a assinalar o lançamento do livro, com sessão de autógrafos neste mesmo café e numa nota em rodapé do site do respectivo livro www.theglasstrumpet.com. O sucesso do trompete de vidro morreu dentro das paredes deste café. Tentei sem sucesso encontrar o livro à venda na Waterstone's, a maior e melhor cadeia de livrarias do país. Dez mil livros são publicados por ano no Reino Unido. Numa estimativa generosa, talvez mil e quinhentos recebam a atenção da imprensa nacional e uma menor porção alguma publicidade. A maior parte dos livros está destinada a vender menos de mil exemplares e a cair no esquecimento em menos de um ano. A realidade é que um leitor de peso é, de acordo com uma estimativa da Waterstone's, alguém que compra doze livros por ano e gasta 90 libras (aproximadamente 120 euros). Doze livros, não vale a pena ter ilusões, numa cidade em que os leitores de metro se renderam ao The *LondonPaper* e *LondonLite,* dois jornais gratuitos, folheados de iPod nos ouvidos.

Mas voltemos a Janeiro de 2008, e passado um pouco, vejo entrar Peter Powell acompanhado de uma jovem. Peter Powell é um habitante de Islington há meio século, o que o torna um dos raros idosos deste bairro. Na rua, distribui joviais acenos acompanhados de muitos «*How are you?*» («Como está?»), o que dá um tom de bairro à amálgama de gente anónima e fluida que habita em Islington.

Peter, assim lhe chamei sempre, foi durante dois anos nosso vizinho de cima, numa das praças (*squares*) de Islington. Vivia ao lado da casa onde viveu George Orwell e quem sabe se essa proximidade física lhe deu a ideia de aumentar o seu rendimento de pensionista inventando excursões literárias à volta de Islington.

Eu conversava com ele vezes sem conta, mais precisamente ouvia, para logo de seguida esquecer, o nome dos seus muitos conhecidos e amigos, o que faziam na vida; ficava a par das suas idas aos States, onde era mais famoso do que no UK pela sua participação na banda de Ringo Starr, do sucesso que tinha junto dos telespectadores americanos que o reconheciam na rua e dos seus passeios literários de fim-de-semana anunciados num *website*. As suas boas-maneiras e vivacidade impossibilitavam que se tornassem chatas ou egocêntricas estas conversas de vão de escada ou no jardim onde ele se afadigava a cortar relva, a arrancar ervas daninhas e a aparar os arbustos que teimavam em emaranhar-se nas roupas e cabelos. Peter era a minha personificação do *gentleman*.

Era também o único condómino que tentava impor alguma ordem num jardim decrépito de vasos meio quebrados e de acesso por uma porta empenada. Tentava a custo arrancar-me uma ajuda, queixando-se indirectamente do pouco auxílio que recebia dos outros inquilinos, mas a minha apetência por jardinagem nunca foi além de discernir e esgravatar umas quantas ervas daninhas. Peter, pelo contrário, parecia tirar real prazer em remover as folhas mortas com um ancinho do quintal, empilhá-las num monte, queimá-las, comprar uma casinha verde pré-fabricada e instalá-la no jardim, enchê-la de ferramentas e com o cortador de relva.

À força de deixar tantos panfletos a convidar-nos para as suas excursões literárias, e de por vezes tropeçarmos num punhado de mirones a esquadrinharem-nos o jardim ao sábado de manhã, lá fizemos o esforço de sair da cama mais cedo na expectativa do muito que tínhamos a aprender sobre Charles Dickens, *O Triunfo dos Porcos* e *1984* (o primeiro livro publicado enquanto George Orwell vivia no nosso prédio e o segundo aí começado), Jack, o Estripador e o trilho sangrento de Islington ou mesmo «*the German connections in Islington*» (as conexões germânicas de Islington), iscos que revelavam a dose de imaginação do guia e o seu apurado faro de caçador, sabendo nós por exemplo como Islington anda cheia de alemães, sessenta anos depois de a Guerra os ter posto daqui para fora.

Para nossa surpresa, éramos os únicos escoltados nessa manhã de sábado. Peter lá fez questão de nos cobrar as 6 libras por cabeça antes de começarmos a descobrir que faríamos melhor em ter ficado na cama, pois a Internet ensinava mais e de borla.

Depois disso, lá recusámos como pudemos as sucessivas iniciativas literárias. Lembro-me de uma sobre Betjeman que Peter montou num cisco de tempo mal surgiram as comemorações do aniversário da morte do poeta e jornalista da BBC pois, sorte das sortes!, também Betjeman tinha por aqui passado fugazmente.

Algumas das suas conversas passaram a ser à noite, em espaços tão imprevisíveis como a Union Chapel, pois ao charme deste relações--públicas ninguém escapa, reverendos ou *mayors* de Islington, que, como o seu *website* anuncia, são *personal friends*.

Peter é casado com a sua antítese. Audrey, que ele diz ser um «*homebody*», um bicho caseiro, que não o acompanha nos seus passeios pelo UK ou pelos *States*. Tímida, esquiva, dada a poucas palavras, enquanto fui sua vizinha só lhe arranquei uns «*hello*», mas quando parti mostrou-se calorosa. As filhas de ambos têm nomes de personagens shakespearianas, em memória de uma outra vida que o pai teve como actor.

Mas ali estamos, eu e ele, agora que já não sou sua vizinha, frente a frente na Euphorium. Com a sua natural boa-disposição, apresenta-me uma jovem actriz cuja companhia lhe enche o ego. Conta-me como se desentendeu com o seu *pub* local. Ele, um *habitué* dos *pubs* de Islington, a voz que chamou à razão os proprietários do *The* Famous *Cock* Tavern[11] quando num momento de insanidade mudaram o famoso nome para outro menos inspirador. Haveriam então de barrar a entrada a uma das suas excursionistas literárias, uma indiana com um carrinho de bebé? Indignado, Peter tomou a defesa da indiana e acusou-os de racismo. Agora mudou-se para outro *pub* no qual afiança eu e o meu marido o podemos encontrar aos domingos a derreter em *pints* as *pounds*[12] que arrecadou na véspera.

---

[11] A Famosa Taberna do Galo, sendo que galo pode ter o duplo sentido de pénis.
[12] Derreter as libras em cerveja.

Uma bebida com Peter é diversão totalmente diferente dos seus passeios e gratuita. Marcamos encontro para o próximo domingo. *«See you soon»* («Até breve»), prometi, sem saber que esta seria a última vez que o veria.

Fevereiro, 2008

Regresso à Euphorium depois de um fim-de-semana em Basileia, na Suíça alemã, geograficamente muito perto de Estrasburgo (França) e de Friburgo (Alemanha). Dada a sua localização fronteiriça, de um lado França, de outro Alemanha, Basileia tem um curioso aeroporto, chamado Euro Aeroporto, com três saídas e controles fronteiriços. Dependendo da saída que o passageiro escolhe, acaba na Alemanha, em França ou na Suíça. Quanto às línguas que se falam e apesar de predominar o alemão, no aeroporto, por exemplo, ouvi muito francês falado por suíços franceses que ali conseguem trabalho. Apesar de ser a terceira maior cidade suíça, Basileia é pequena, confinada a um espaço não expansível, com uma escassa densidade e população não além dos 100 000 habitantes. E, se os primeiros imigrantes que recebeu vinham de Itália, Espanha ou Portugal, ultimamente recebe um grande fluxo de alemães.

O que vivemos neste fim-de-semana não cabe nas costumeiras quarenta e oito horas de um fim-de-semana em Islington a calcorrear Upper Street de lés a lés, a fazer as compras da semana no *farmer's market,* rodeados de maníacos da comida orgânica de sacos de pano a tira-colo, os mesmos que me lançam olhares recriminadores quando peço um saco de plástico. Este fim-de-semana teve uma duração variada como já nem sabia existir, cativa que estou há um ano na redoma das mães. Do tanto que vivemos, ficámos outra vez extenuados, extenuação a que não podíamos realmente escapar, lançados a uma viagem de avião com um bebé em fase de dar os primeiros passos e que ainda acorda durante a noite; convidados a assistir a um casamento e a desbravar uma cidade. Podíamos facilmente ter chegado ao fim desta odisseia para descobrir que não tinha valido o investimento. O cálculo do que vale ou não vale a pena fazer torna-se muito aguçado com a maternidade.

Para começar, acertámos na escolha do Hotel Krafft, com uma belíssima vista sobre o Reno e a distância pedonal da ponte em volta da qual Basileia se desenvolveu. O casamento também teve a sua curiosidade, a noiva suíça e o noivo americano, ambos radicados em Londres, ela ainda protestante mas em processo tão rápido de conversão ao catolicismo que comungou, logo ali na missa do casamento. O copo-d'água decorreu num museu que fora um convento dominicano, com bonitos tectos de madeira da Idade Média, vista sobre o Reno e duas harpistas a darem o tom da festa.

O mais interessante foi, porém, um rápido deambular pelas ruas de uma cidade que nunca conheceu a guerra, de casas medievais que sem uma beliscadura ostentam na porta os vários nomes que lhes couberam, ao dobrar de cada década. E a visita ao Kunstermuseum, o mais importante museu de Basileia. O primeiro contacto com as telas de Arnold Böcklin, um pintor de quem nunca ouvira falar, confirmou que a Suíça gerou muitos apreciadores mas não criadores de arte. O museu vale pela importante colecção de obras de Holbein. Holbein pintou um Cristo deposto que ainda hoje é provocador no seu corpo famélico, já em tons de decomposição, e os retratos mais conhecidos do seu amigo Erasmo de Roterdão. Um dos retratos de Erasmo, hoje em Londres na National Gallery, é responsável pela escolha que fiz do segundo nome do meu filho, quando, de barriga subida, apreciava os traços do Humanista que Holbein imortalizou:

«He seems a fine man», comentei. *«Wasn't he just»*[13], concordou o meu marido.

---

[13] «Parece um bom homem.» «Totalmente.»

A cidade de Basileia está ligada à vida de Erasmo, o intelectual mais conhecido em toda a Europa erudita do século XVI, amigo de Holbein e Thomas Moore e católico como estes. A casa onde viveu os últimos anos de vida e veio a morrer, hoje uma loja de livros antigos; a Universidade em que leccionou, uma das mais antigas da Europa; a tipografia que imprimiu os seus livros e os do seu opositor Calvino; o seu túmulo, na catedral protestante. Decifrámos na inscrição lapidar sumptuosa em pedra mármore rósea, que o mesmo foi custeado por amigos ricos, já que Erasmo, dado à vida austera, terá deixado parcos haveres neste mundo. Um deles, o seu protector Johann Froben, em casa de quem morreu, dono da tipografia que lhe imprimiu os livros, cujo logótipo pintado por Holbein pode ainda hoje ser apreciado no Kunstermuseum. De resto, a próspera economia de Basileia que hoje em dia assenta na indústria farmacêutica (Roch) e química (Novartis), assentou no século XVI exclusivamente nas oficinas de tipografia, manuseadas por aprendizes de Gutenberg, que publicaram os trabalhos de Erasmo, a par dos de Calvino e mesmo a primeira Bíblia impressa em hebraico. As ditas oficinas, conservadas como museu ou reconvertidas, podem avistar-se nos canais afluentes do Reno. Mas, se as oficinas tipográficas são hoje museu, as dez mais importantes famílias de Basileia com dinheiro e alianças antigas nunca deixaram que as artes e a cultura declinassem e que a cidade se remetesse à memória de um passado. Basileia gozou e continua a gozar de fervilhante vida cultural. Anualmente com uma das mais importantes feiras de arte contemporânea, congressos de literatura (vi agendada para Dezembro uma palestra sobre Álvaro de Campos) e até uma galeria de arte oriental que sobrevive muitíssimo bem.

Das janelas da Euphorium não posso deixar de comparar as duas cidades onde celtas e romanos acantonaram: Basileia no centro da Europa e Lisboa na sua periferia. Ambas desconheceram as grandes guerras do século XX. As semelhanças ficam-se por aqui. Não sei se a geografia ou a religião – o calvinismo assenta como uma luva aos suíços: o dinheiro justifica os meios – explicam como Basileia continua próspera e Lisboa declinou. Ou talvez a dita elite de dez famílias que dominam Basileia desde a Idade Média explique alguma coisa. O capital nunca se dissociou do mecenato, não por filantropia mas porque o mesmo se revelou lucrativo e um modo de controlar o destino da cidade. Hoje num mercado global, os ricos mecenas têm uma palavra a dizer no caminho que as artes tomam. Conjecturar sobre um providencialismo que alcançou visíveis bons resultados conduziu-me a um inevitável fatalismo. Enquanto atravessávamos o Reno num barco não poluente, movido pela força da maré, engatilhado num varão corrido entre as margens, senti como uma vida humana dificilmente foge às decisões dos antepassados, sejam elas boas ou más. O passado nada tem de distante ou remoto. O presente da geração presente é em grande parte o resultado de cada uma das escolhas feitas pelas gerações precedentes. E, se isto era verdade até ao século passado à escala de cada país, é agora verdade à escala do mundo. Demasiado curta esta vida singular, raras as vidas singulares que escapam às balizas onde nasceram, raras as que mudam o destino de um país ou do mundo.

Os suíços nascem hoje num país de onde não têm de sair. Não têm sequer de mudar de cidade e a grande maioria morre na cidade onde nasceu. Aqui, a Londres, chegam cada vez mais portugueses, brasileiros e polacos; mas não suíços. É verdade que também chegam alemães, australianos, americanos, mas na sua maioria destinados a um trabalho mais qualificado.

Há escolhas que determinam o carácter de um povo. Há certas escolhas, como a de não fugir às grandes guerras, que não andam assim tão longe do *fair play* com que as mães inglesas da Euphorium encaram e falam das adversidades da vida. O *understatement* é uma disciplina que não nasce de geração espontânea. Foi aqui treinada durante anos e anos e, à força de não se queixarem dos males do clima, da guerra, do marido ou da mulher, os ingleses inventaram um modo de diminuir as aflições deste mundo.

«You are doing really well» («*Estás a sair-te mesmo bem*») é o piropo que trocamos entre nós, mães da Euphorium. As regras de educação

ensinam que é incorrecto criticar e, inversamente, é educado aplaudir. Mas a grande arte está na integração sem perder o sentido crítico a partir do qual nos constituímos e diferenciamos, em aprofundar e manter uma esfera íntima de juízos e opiniões, em ganhar o balanço exacto do que deve ser dito ou silenciado, sem quebras de sinceridade.

E já longe das águas do Reno, longe de barcos, marés, juízos fatalistas, devolvida ao meu desenraizamento, às cadeiras da Euphorium, medito no privilégio da segunda vida que me foi dada. O Reino Unido possui uma varinha de condão, melhora os imigrantes que acolhe. Indivíduos que seriam apenas medíocres em Portugal ou nos seus países de origem, recebem estímulos, desenvolvem capacidades, atingem uma autoconfiança e resultados inalcançáveis no seu *habitat* natural.

O preço a pagar é o desenraizamento. As vidas desenraizadas têm um fado diferente. Não se desmembrando do país a que pertencem, ao qual não poderão regressar na totalidade, vogam mais solitárias, desafiadas a reconstruírem-se com elementos de um e de outro lado. Algumas mais pragmáticas, mais centradas na sobrevivência, ultrapassam melhor a melancolia. Dizem-mo os brasileiros que trabalham na Euphorium: «Morro de saudade do Brasil, mas voltar não volto não. Já não conseguiria lá morar.» Outras quedam-se emparedadas num limbo, contemplando eternamente o que ficou para trás, a que não podem voltar. É o caso de Ma Jian, autor do aclamado *Beijing Coma* publicado este ano, a ficção por excelência sobre o massacre de 1989 na Praça de Tiananmen, e de outros livros banidos da China pelo seu teor altamente crítico do partido único, a viver em Londres desde 1999. Ma Jian revelou numa entrevista ao FT como é dolorosa a sua existência: não pertencer ao aqui e ao agora. Um constrangimento interior compele-o a viver dentro de memórias e continuamente retornar à China, à terra onde os seus pensamentos estão enclausurados. Caso paradigmático de um intelectual exilado em Londres que, cortado linguisticamente da cultura britânica por não falar inglês, não pode alcançar a totalidade da mesma.

Instado por outros chineses contemporâneos a afastar-se do passado, a encarar o modo como a China se abre e se transforma no centro do mundo, Ma Jin resiste. A história do seu país é, segundo ele, uma sucessão de cortes com o passado, o consumismo ajudou o entorpecimento e desviou os chineses de qualquer juízo crítico. Recusando esse corte, o escritor dedica-se ao que entende ser o objectivo de cada país e indivíduo: ligar-se à sua história nacional e individual.

A história de um país e de um indivíduo que, contendo inevitável dor e perda, permite alcançar um significado e o reconhecimento do que se é. Sem essa ligação ao passado, diz, não é possível um genuíno contentamento interior. Sem essa ligação ao passado.

Março, 2008

No sábado passado assistimos em Oxford a um *Memorial Service*, à letra, um serviço em memória de um morto, prestado por familiares e amigos, dois meses após o funeral. O *Memorial Service* é uma formalidade da Igreja Anglicana, sem correspondência na Igreja Católica. A evocação organizada pela família com esmero idêntico ao de um casamento ou baptizado foi acompanhada de cânticos, poemas, preces, elegias e de um pequeno opúsculo com fotografias memoráveis da vida do morto. O serviço decorreu na capela de um dos colégios, o New College, que apesar do nome é de 1379 e um dos mais antigos em Oxford, tendo sido *New* apenas à data da sua criação, denominação que adoptou para se distinguir de um outro colégio já existente, também dedicado à Virgem.

O serviço foi em memória de um importante banqueiro inglês, quase um pilar do Banco de Inglaterra, feito *knight* (cavaleiro) pelos serviços que prestou ao Reino, e contou com quatro oradores: três prestaram os tradicionais *tributes* (homenagens) e o padre realizou *o final address* (palavra final). O primeiro, um lorde, elogiou o homem que falava sem medo e sem favor, *«the man that would speak with no fear or favour.»* Um colega do defunto, dos tempos do colégio interno, *Dragon School and Stowe,* falou do contributo que ele prestou na angariação de fundos para a escola. E o filho, que se tornou político conservador (*tory*), evocou os hábitos da vida familiar, a capacidade do pai para orientar o potencial das pessoas e as longas conversas havidas sobre o seu futuro profissional. Já o padre no fim da cerimónia falou do homem que interrompia as conversas para inquirir «*But what about love?*» («Então e o amor?»), algo extraordinário e muitíssimo raro para um aristocrata inglês crescido numa cultura que valoriza o controlo das emoções, ou pelo menos a sua não exteriorização verbal.

Sir Peter, que brevemente conheci, em vida era um homem diferente, até na forma como se casou com uma divorciada com quatro filhos, todos eles a gostarem do padrasto. Vestia-se de modo diferente, também. Era caloroso e nada pretensioso ou distante, só viemos a saber do seu título e importância profissional no dia do *Memorial Service,* e estas características sobressaíram na única ocasião em que o conheci, aquando dos quarenta anos de um dos enteados, em Maio do ano passado, num piquenique em Oxford, com um pouco de *punting* pelo meio: o modo como, em Cambridge e Oxford, os estudantes remam pelos canais, afundando um longo pau no rio até este encontrar o fundo.

Possuía uma extrema competência, fazendo questão de tomar uma decisão em vinte e quatro horas após lha terem solicitado, uma memória detalhada e grande apetência para História em que arrancou resultados brilhantes no mesmo New College onde foi prestado o *Memorial Service.* Apesar da paixão por História e Genealogia que cultivaria toda a vida, e não obstante as notas negativas a Matemática do tempo escolar, sacrificou a vocação à carreira na banca, após um fracasso no concurso à carreira diplomática.

Como bancário fez um périplo por vários países, do Sudão à Argélia, Zaire, Quénia e Bahamas, e os seus dotes diplomáticos foram ressaltados pelos que o conheceram, ainda que não reconhecidos pelo júri do concurso para a carreira diplomática. Talvez porque, como o primeiro orador o referiu, era um homem que não temia dizer o que pensava e recusar favores, o que nem sempre caiu bem na instituição bancária onde trabalhou, dotada de uma estrutura hierárquica que favorecia os descendentes da família fundadora.

Morreu numa altura em que, com mais tempo para a sua antiga paixão, se dedicava a escrever um livro biográfico sobre o sogro, um diplomata.

O padre falou das dúvidas que o cercaram ao longo da doença fulminante.

Findo o serviço, que contou com um belíssimo coro de capela, um dos mais antigos do mundo, e com um porteiro que conduzia um a um os convidados aos respectivos bancos e lugares reservados, a família convidou-nos para chá, bolos e refrescos. Church of England não é Church of England sem chá e bolos, excentricidade quanto baste e falta de complexos na relação com o dinheiro. Conheço um padre anglicano, pai de uma das mães que frequentam a Euphorium, que vem visitar a filha e a neta ao volante do seu *Rolls Royce* amarelo. Convém não esquecer que os padres anglicanos não tendem à austeridade material dos padres católicos. E não receiam o escândalo, sina a que estão acomodados desde a criação. Prova-o o Arcebispo da Cantuária, Rowan Williams, que por não ser homem de consensos, recebe permanente foco mediático. Cada vez que abre a boca, seja em favor de uma maior tolerância dentro da Igreja anglicana das relações homossexuais e eventual ordenação de bispos gays, seja da adopção de alguns aspectos da lei *sharia* que regula os muçulmanos, provoca celeuma. Já estamos numa das salas que pertencem ao colégio e beberricamos o chá enquanto espraiamos a vista sobre os jardins e *lawn* (relvados) que só os *don* (professores catedráticos) estão autorizados a pisar: estudantes e visitas apenas podem circular nos passeios, a menos que acompanhados de algum *don*.

Regressei à Euphorium na segunda de manhã. Foi assim que soube, pela gazeta local, da morte de Peter Powell. Não acordou numa manhã de Fevereiro o nosso antigo vizinho com quem combinávamos beber cervejas no *pub*. Cuja última combinação falhámos. Um dos últimos idosos de Islington, um dos últimos *charming gentlemen* que tornavam as suas ruas mais pessoais, mais bairristas, com os seus joviais *hello* acenados aos muitos conhecidos e um pouco de *gossip* (fofoca) sobre este e aquele. *Peter we shall miss you.*

Highbury Fields

(Abril-Setembro de 2008)

Abril, 2008

Daqui a três dias, fará dezasseis meses que o Thomas nasceu. Já alguém falou da vida interior de uma mãe? De como leva o seu tempo a transformação em mãe, longe de ser processo instantâneo, desencadeado pelo parto? Quantas fases e etapas de ajustamento. Depois do parto e durante o aleitamento, a mãe é submersa numa onda de fusão corporal com aquele ser; findo o aleitamento e quando o ser começa a andar, a falar, a ganhar autonomia, a progressiva reconquista do espaço de diferenciação entre os dois. E como, quanto, se altera a sua percepção do mundo?

Não, não falo de tons rosa, tons de enternecimento a olhar as crianças, tons de horror perante o sofrimento infantil, tons de compromisso para que este mundo permaneça para além de mim, e águas límpidas, oxigénio, peixes saúdem novos seres.

Não falo do que se louva no coração da mãe. A paciência que se treina. A abnegação. O que a sociedade ilumina e a que presta reconhecimento.

Falo de tons agudos de sobrevivência, tons de caça como o da ave de rapina que se faz aos céus para alimentar os filhos. Falo da mancha do mundo que ensombra o coração tanto quanto o amor que aí se rasgou. O amor destinado ao nosso próprio sangue e carne, ao clã, à auto-suficiência. É chocante compreender de repente como são estreitas as nossas fidelidades, o mundo é um lugar brutal, de clãs. Onde a protecção, a aliança, a fidelidade, passa de pais para filhos. Sem reciprocidade, uma só corrente, de um sentido apenas. À luz do amor pelos filhos, os outros amores são reequacionados, secundarizados: o amor por irmãos, sobrinhos, às vezes, o amor pelo pai ou mãe dos filhos; a dedicação a um trabalho, a uma carreira. Termos um filho dá-nos essa breve sensação de nos bastarmos, de uma menor vulnerabilidade, de supressão do mundo. Como se não existisse mais tempo, energia, necessidade, amor, paixão, desejo, ambição, senão os que devotamos a este ser todo exigente. Como se não nos pudessem de novo ameaçar os tempos de solteiro, medos de estar à mercê dos outros, de suplicar uma simpatia alheia.

Falo da chamada depressão pós-parto que atravessei e que por vezes reflui em retrocesso. E talvez, talvez apenas fruto desse estádio, o mundo rompe como lugar de pais de apetite esganado: mais comida, dinheiro, casas, espaço dentro das casas; mais brinquedos, vestuário, fraldas, férias, passagens aéreas, mobiliário, carrinhas monovolume, traquitana que se avaria e se substitui, pomadas contra a assadura, gel de banho, bóias, protector solar. Passaportes, seguros, testamentos, complicações civis.

Pais sob o *stress* de aceder ao que aqui em Londres se chama *property ladder, educational ladder, career ladder* – escadas para a propriedade, a educação, a carreira – e todas as escadas que assegurem trepar mais, comer mais. Não critico ninguém; tirando não ter carro nem televisão – o meu modesto contributo para um mundo alternativo –, o desejo de posse arde-me nas entranhas e embacia-me a visão do mundo. Dá-me a visão apocalíptica de uma pessimista, segundo a qual o homem guiado pela sua cobiça se autodestruirá. E qual a alternativa para os visionários de um mundo alternativo? A alternativa está à vista, expor-se à exploração dos que, podendo e não podendo, treparam.

A alternativa para os sacudidos da *property ladder* e para os admiráveis que a desdenham é a sujeição ao mercado das rendas, exposto a igual capitalismo selvagem. Se quem quer comprar casa em Londres arca com taxas de juro acima dos 6% e não conta com os benefícios fiscais que existem em Portugal; quem paga renda sujeita-se ao regime de renda livre, revista de ano para ano, sem qualquer limite de subida percentual, e não está desonerado de taxas autárquicas, de água e esgotos: «*That's England for you!*» Bem-vindo a uma cultura sem preconceitos na relação com o dinheiro na perspectiva de uma nativa católica como eu. A urgência de dinheiro para sobreviver na mais cara cidade da Europa, senão do mundo, sob pena de desprotecção jurídico-social, acertou-me em cheio, amamentava eu a cria, na altura de sete meses.

Um ano tinha decorrido desde a assinatura do contrato de arrendamento e a senhoria notificava-nos para passarmos a pagar uma renda 20% mais cara do que a acordada. Como não acatei imediatamente a ordem e tentei a negociação, encontrei o agente imobiliário no dia seguinte à porta, pronto para tirar fotografias ao imóvel, munido de uma tabuleta que espetou à entrada do prédio: *To Let* (Arrenda-se). Durante umas semanas tive de começar a arranjar a casa pela manhã e a ausentar-me durante o período em que era mostrada a potenciais arrendatários, liberta da minha inoportuna presença.

Duro. Mas breve. Pois eu pertencia ao rol de privilegiados que podiam comprar casa e por isso passei um ultimato ao meu marido. Diariamente, voltava à liça, à luta conjugal: «Preciso de uma casa! Um poiso certo! Sentir-me segura neste país!» Tornar-se imigrante, esclareço para os que o não são, é acrescentar sensibilidade e medos à flor da pele. O meu marido, acostumado toda a vida à condição de arrendatário sem queixumes e por natureza avesso a tornar-se proprietário, resistia no seu modo alemão, menos verborreia, menos agitação, uma obstinação betonada sem altos nem baixos.

Mas não dizem as estatísticas que são as mulheres a destinar as férias da família, sendo essa apenas uma amostra das vitórias de uma *mater familiae?* Além disso, a sorte bafejou-me e algo surgiu no panorama aterrador de casas à venda, fachadas tentadoras que encerravam presentes envenenados de interiores esconsos, sem luz, desdobrados sobre três e quatro pisos. Apartamentos de nome pomposo como *upper maisonette* mais não eram do que um último andar ligado ao sótão, menos de 80 m² com cozinha-sala encimadas por quartos.

Quanto a uma *lower maisonette,* consiste nos mesmos 80 m² distri-buídos do mesmo modo: uma cozinha-sala na cave e um ou dois quar-tos no rés-do-chão, fazendo jus à tradição das casas georgianas, vitoria-nas ou do Portugal de antigamente de colocar a cozinha em baixo para aquecer a casa.

Aliás, e para começar, no mercado de eufemismos londrino, uma cave nunca dá pelo nome de cave, mas de *lower ground floor* (ou seja, à letra, um rés-do-chão baixo). Mas, se algo pode valorizar a cave, por exemplo, o acesso a um jardim, é logo promovida ao estatuto de *garden flat* (apartamento com jardim), muito do agrado londrino. De resto, os londrinos há muito se habituaram a viver nestes tectos baixos, de pouca luz natural, antigas habitações dos criados.

No meio de tanta espelunquice, não encontrávamos nada que jus-tificasse um endividamento a vinte ou vinte e cinco anos. A nossa busca desesperada levou ao todo dois anos e picos, contando períodos de quase desistência e dormência que se seguiam às visitas e vistas mais frustrantes. Um jogo totalmente insano era alimentado pelos agentes em conluio com os bancos que disponibilizavam empréstimos a 100% e a 110%. Apostados em manter o grau de frenesim colectivo e a cega convicção de que a escalada de preços era imparável, os agentes convi-davam todos os clientes em carteira para visitar as espeluncas. Dezenas de olhos esbugalhados a vasculharem o espaço e a terem de formular às pressas, sem uma segunda vistoria, a decisão das suas vidas.

A emoção do momento era sustentada por argumentos «racionais»: a escassez da oferta imobiliária seria uma constante imutável nesta ilha pressionada por uma imigração maciça e pelos rios de dinheiro que nela escorriam. Nas ruas mais a sul, Belgravia, Chelsea, Knightsbridge, estavam instalados os milionários e bilionários deste planeta; e, nas ruas mais a norte, o centro financeiro da City gerava uma riqueza que con-tagiava distritos como o nosso, Highbury and Islington, a quinze minu-tos de distância viária.

Ninguém sonharia que, passado um ano, os preços das casas no Reino Unido, atingidos pelo *crash* no *subprime* dos EUA, desceriam

7%, muito provavelmente 10%, até final do ano, o que representaria uma subtracção em média de 30 000 libras. Que a oferta de casas na ilha era afinal mais do que suficiente. E que o maior negócio da década seria feito pelo dono da Foxtons num *timing* perfeito: vendeu a agência imobiliária, das mais agressivas no mercado, por 360 milhões de libras, mesmo antes de a crise estalar. O mercado imobiliário reflectia tão-só a crença dos seus participantes, uma crença irracional de que os preços das casas não cessariam de subir, e as decisões das pessoas eram baseadas não na realidade da situação que confrontavam, mas na interpretação ou percepção que dela faziam, como George Soros o explica na teoria da «reflexividade».

Mas, voltando ao nosso caso, sucede assim como em muitos momentos na vida: a casa dos nossos sonhos surgiu quando, de cabeça perdida e já sem grande esperança de a encontrarmos, fazemos uma oferta para uma *upper maisonette,* de três andares, cozinha em baixo e casa de banho no piso do meio, algo de que a longo prazo me haveria de arrepender profundamente.

A meio do processo de nos enterrarmos, a casa dos nossos sonhos chegou ao mercado, e nós, ainda sem a termos visto, só com a planta na mão, gritámos: «É esta!»

É preciso que se diga que, por esta altura, já dispúnhamos de um mapa com as poucas zonas desejáveis para habitarmos sublinhadas a verde e as muitas de que fugíamos a sete pés assinaladas a encarnado; e a casa situava-se em frente do pulmão verde de Highbury, uma zona que os adeptos do Arsenal tão bem conhecem em dia de jogo e que os maníacos do *jogging* tornam segura a altas horas da noite ou de madrugada. Mais, ficava próxima de um parque de recreio para crianças e adolescentes, servido de baloiços, escorregas, areia, um posto de pronto--socorro e chuveiros ao ar livre que deveriam funcionar apenas em dias mais quentes, mas que a sensibilidade térmica inglesa põe a funcionar mal a Primavera arranca.

E, por fim, esta casa que é agora nossa confinava-se apenas a um piso por onde se podiam, sem problema, dispersar brinquedos, fraldas, biberões, copos e chávenas de chá meio beberricadas, tudo facilmente recolhível no dia seguinte pela manhã.

E agora que aqui estamos, como sempre, parece que sempre aqui estivemos, que estes *fields* também em parte nos pertencem, e quase esqueço aquelas horas de espera entre a nossa proposta final de aquisição e a sua aceitação por parte de um vendedor a quem nunca vimos a cara, detalhe dispensado no processo de compra e venda de imóveis no Reino Unido. Assim, apenas conhecemos a nossa solicitadora, ao escritório da qual nos deslocámos para assinarmos o contrato final de compra e venda e recebermos em troca um fax comprovativo de que o vendedor fizera o mesmo junto do seu solicitador.

Bem, mas estas idas ao solicitador foram indolores se comparadas com as horas que se estenderam por um alargado fim-de-semana de Páscoa, quando sabíamos que estavam em cima da mesa do vendedor dois envelopes: o nosso e o de outro concorrente, duas propostas de compra diferentes, não só no valor como nas razões que aduzíamos para querermos aquela casa em particular e que convenceriam o vendedor de que não desertaríamos a meio das investigações que estavam por vir: inspecção da qualidade do prédio, dos projectos de construção na área adjacente, etc., já que no Reino Unido quem quer que «prometa» vender ou comprar uma casa pode livremente e sem encargos escapulir-se até à hora da assinatura final. Na verdade, não existe uma promessa escrita de compra e venda ou troca de sinal que garanta o negócio, apenas uma promessa verbal ou um acordo de cavalheiros.

Ainda relembro a voz do meu marido, do lado de lá do telefone, a acordar-me naquela segunda-feira de manhã de mais uma noite mal dormida a temer o pior: «*We got it!*» (É nossa!), disse, em tom baixo e preciso.

Sim, passámos essa prova de fogo numa cidade onde competem por viver os mais ricos deste mundo e os seus mais ambiciosos imigrantes. Passámo-la no auge do *boom* económico. Mas a crise no mercado imobiliário que se tem acentuado desde o princípio do ano não trouxe a solução para o problema habitacional que as famílias aqui vivem. Pelo contrário.

É por isso que, a uns dias das eleições locais, todos os candidatos, conservadores, liberais, trabalhistas, verdes, convertem a habitação numa prioridade de agenda. Vão dar casa a milhares de londrinos ao mesmo tempo que prometem defender os parques de Londres e não ceder às pressões das construtoras e agentes imobiliários, obrigados a fechar as portas abertas nos últimos anos.

Verdadeiros mágicos estes políticos! Mas milagres acontecem. O mundo vai perdendo a coloração da depressão pós-parto, um bálsamo escorre das falas mansas do meu filho, arranca-me para longe, bem longe da crueldade do mundo: «Mamãzinha», «Dormir com a mamã», «Amorzinho *crido*». Talvez devesse recomeçar este texto de uma forma totalmente diferente. Assim: os filhos melhoram a matéria humana, descentram-na, aliviam o egoísmo, o tédio, os muros e muros atrás dos quais envelhecemos, oferecem-nos umas gerações adiante uma segunda vida, um quinhão de felicidade para enfrentarmos o sofrimento da vida. *We need someone to love and care.* Alguém para amar e cuidar.

Maio, 2008

Venceu a presidência da Câmara de Londres o candidato conservador, Boris Johnson, por sinal um inconfundível vizinho, ciclista e praticante de *jogging*, denunciado pelo tom albino cada vez que sai à rua ou areja em Highbury Fields.

Boris tem uma casa nas redondezas dos *fields*, parque que destacou como a suprema glória de Islington e ao qual deve algumas horas de sossego benfazejo que conquistou após o nascimento do primeiro dos filhos. A dita casa que, alto apregoou, no seu tom ufano, vale *«loads of sheds of money»* (montes de massa), valores que aqui a imprensa se prontifica em especificar: um milhão de libras, logo entrou na calha para ser trocada por outra no valor de três milhões, poucas semanas após a vitória do dono. Direito legítimo de qualquer cidadão, mais ainda se cidadão de Londres.

A casa é aquilo por que qualquer londrino se mede e compete de modo obsessivo e trágico, como o próprio Boris anuncia: *«The tragedy of Britain is that it is all to do with class and housing.»*[1] Se o código postal que figura invariavelmente no *business card* é W[2] (como o são a título de exemplo, W8 Kensington, W9 Maida Vale, W10 North Kensington, W11 Notting Hill, W14 West Kensington) ou SW[3] (como

---

[1] A tragédia da Grã-Bretanha é que tudo se resume à classe [social] e à casa.
[2] Oeste.
[3] Sudoeste.

por exemplo, SW3 Chelsea, SW7 South Kensington ou SW19 Wimbledon), estamos perante moradas *posh*, dignas de alardear. Eu apenas possuo um duvidoso N1, a que corresponde um norte Londres de eleitorado maioritariamente *labour*, impeditivo de qualificação social.

Upper Street, a artéria que liga Angel a Islington, a rua aonde vou às compras, era, nos anos 70 e 80, albergue de livreiros vermelhos, socialistas, trotskistas, anarquistas e feministas. Há trezentos anos, em 1784, Mary Wollstonecraft, a célebre autora de *A Vindication of the Rights of Woman*[4], na altura com vinte e quatro anos, pôs em prática a sua teoria e abriu uma escola para raparigas em Newington Green. Também o marido de Wollstonecraft, William Godwin, considerado o pai do anarquismo filosófico, foi ministro da igreja unitária dissidente que ainda hoje existe em Newington Green. Em Holloway Road, Marie Stopes, em 1921, abriu a sua primeira clínica de divulgação de métodos contraceptivos e de planeamento familiar em todo o país. Destinava-se às classes trabalhadoras e chamava-se The Mother's Clinic (A Clínica das Mães).

Para confirmar a boa saúde da tradição trabalhista em Islington, basta consultar o quadro dos autarcas locais *(councillors)* eleitos para os anos 2007-2008. Estes dirigentes locais podem ser inquiridos directamente por qualquer cidadão sobre assuntos que vão da recolha de lixo às taxas autárquicas e equipamentos locais, em dias e horas fixas, sem marcação prévia. O quadro dependurado da minha biblioteca local apresenta a fotografia de cada um dos *concillors* e o partido por que foram eleitos. Duas manchas se destacam, uma encarnada trabalhista e outra laranja liberal, ausente a mancha azul conservadora. Blair viveu aqui antes de se mudar para'o número 10 de Downing Sreet, os filhos frequentaram a escola católica no topo de Highbury Fields. A única diferença é que Islington é nos nossos dias uma miscelânea, resquício de uma classe trabalhadora rejuvenescida por uma classe *well-heeled*

---

[4] *Uma Reivindicação dos Direitos das Mulheres.*

(bem calçada), quer dizer, endinheirada. Mas nada que se compare a códigos postais como W ou SW.

Habitar em W ou SW, estar paredes-meias com um eleitorado maioritariamente conservador, concede um estatuto social que se paga caro. Desse valor acrescido estão cientes as construtoras civis, que movem esforços para redesenharem as fronteiras dos códigos postais de modo a integrarem os seus projectos imobiliários no que são desejáveis códigos postais. E os lojistas, os supermercados, as *delicatessen* (lojas de comida fina), todos se aproveitam na cobrança de mais uns quantos *pence* ou *pounds*.

Mas passemos às prioridades de agenda do novo *Mayor*, na sua vertente pública. Acredito que seguirão o que prometeu em campanha eleitoral: o combate à criminalidade, muito em especial o *knife crime* (crime de faca) espalhado entre adolescentes (até porque é pai de quatro filhos como mencionou no C.V. que juntou à candidatura), a melhoria dos transportes e a conservação dos parques da cidade.

De resto, nada de visionário ou de luminária. Tudo problemas que já se faziam sentir numa cidade onde saltam das parangonas dos jornais rapazes e raparigas esfaqueados por indivíduos ou *gangs* armados de facas e canivetes. Nesta cidade bastante descontínua, é fácil viver próximo de uma rua com elevados níveis de criminalidade. A mim acontece-me viver a uns passos de Holloway Road, uma rua que inspira um certo respeito, supervisionada por 100 dos 500 000 CCTV (*Closed-Circuit Television*), câmaras de vídeo espalhadas por Londres. Os CCTV acentuaram-se após os ataques de 7 de Julho de 2005 e estão agora instalados no metro, em alguns autocarros e táxis, parques automóveis, bancos, aeroportos, *pubs,* lojas, certos museus e até na British Library e na minha lavandaria, estimando-se que cada pessoa seja filmada cerca de 300 vezes por dia por estas câmaras. Volvidos três anos, erguem-se as vozes que discutem a legitimidade pública desta vasculhice tipo *Big Brother* da vida dos cidadãos e a efectiva ajuda dos CCTV no combate ao crime. Em Holloway Road, essa rua que não me atrevo a pisar depois de o Sol se pôr, continuam a morrer algumas das vítimas cujos retratos vejo nos jornais *The London Lite* e *The London Paper*, distribuídos gratuitamente junto às bocas de metro, todos os dias, da parte da tarde. O ano ainda não vai a meio e já se registam cinquenta mortos por esfaqueamento, vinte dos quais adolescentes. Começou a falar-se de uma epidemia. O que parece indissociável deste tipo de crime é o excesso de bebida, moda nas festas juvenis da classe alta, média ou baixa, tanto quanto parece ser desejável ser dono e portador de armas brancas.

Talvez por isso, uma das primeiras medidas de Boris foi a proibição de beber álcool no metro, o que pelo menos melhorou o aspecto das carruagens à saída de um fim-de-semana. Mas a premência de novas medidas faz-se sentir e levou a Scotland Yard a anunciar o combate ao «crime de faca», uma prioridade que suplantou o combate ao terrorismo. Foi criada uma força especial anti-esfaqueamento e a Polícia britânica pediu aos hospitais para a notificarem de todos os internamentos por ferimentos com arma branca, de forma a identificar as zonas mais vulneráveis. Dados que se destinam ao mapeamento de Londres, identificativo do tipo e índice de criminalidade por código postal, na pegada do pioneiro mapeamento de Nova Iorque que, nos anos 90, reduziu para metade os seus níveis de criminalidade. Equipamento especial à prova de facada foi distribuído tanto a polícias como a seguranças de hospitais e professores. E operações de rusga, *stop and search*, são levadas a cabo sempre que se aglomerem multidões (futebol, carnaval de Notting Hill).

O que é certo é que os pais ganharam um novo temor. Como se não bastasse o medo de ver o filho raptado, agora é o medo de o ver esfaqueado. São raros os pais meus vizinhos que deixam crianças pequenas descerem sozinhas e brincarem à bola no parque. Falo com mães que me contam da vontade de trocar Londres pela província e outras que apenas se desejam mudar para condomínios fechados como os de Maida Vale. Pequenos pulmões verdes rodeados de majestosas casas do século XIX, de tijolo exposto ou revestido a estuque, num estilo italianizado (as minhas favoritas). Nesses microcosmos, as crianças brincam em jardins esplendorosos, mantidos por exorbitantes taxas de condomínio. Trancados atrás de grades, fechaduras, chaves irreproduzíveis numa normal casa de chaves, vigiados por câmaras, os mais pequenos não se apercebem da artificialidade desse universo, da artificial homogeneidade de que só os adultos estão cientes. E brincam descuidadamente com outras crianças da mesma raça, mesmo estatuto socioeconómico, mesmos colégios, que frequentam as mesmas actividades extra-escolares e redigem redacções não muito diferentes sobre os destinos e várias casas de férias. E assim, enquanto os pais tranquilizam as suas muitas ânsias, as crianças descansam na sua própria imagem e em pequenas diferenças estimulantes como os países de onde vêm – Alemanha, Itália, Grécia – pois Maida Vale é muito do agrado europeu.

Mas voltando às promessas de Boris. No campo dos transportes, tinha acenado com o regresso dos velhos autocarros encarnados de dois andares, *doubledesk,* emblema de Londres, profusa na indústria de *souvenirs.* A campainha retiniu nos ouvidos dos taxistas londrinos, cansados do congestionamento provocado pelos *bendy buses* ou autocarros articulados que Ken Livingstone introduzira. Livingstone achara uma boa ideia tentar encafuar num acordeão de dezoito metros de comprimento o dobro dos passageiros que cabiam num velho *Routemaster,* alardeando a facilidade de acesso a deficientes e mães. Não previu que talvez isso desagradasse aos enlatados das horas de ponta e em geral aos restantes automobilistas. Táxis, carros ou outros autocarros impedidos de ultrapassar estas lagartas que se avantajam para além da sua faixa de circulação. Conheci um taxista afegão, pai de cinco filhos, que me confessou a sua simpatia por Boris, por entre relatos de uma Cabul controlada, rua a rua, por guerrilhas étnicas (*pashtuns* e *tajiques*, as etnias dominantes), bem como diferentes línguas e religiões (maioritariamente o islamismo sunita do qual derivou a interpretação mais conservadora da lei *sharia* forjada nas *madrassas* pelos talibãs – à letra, os estudantes; o islamismo xiita, e religiões minoritárias como a zoroastriana, hindu, bah'ai, cristã e judaica). Ruas em fogo aberto, pequenos estados onde se viola e mata, dentro de um Estado impotente, um gigante narco-Estado que fornece 93% da heroína consumida pelo mundo. Afinal, tanto faz estarmos em Lisboa como em Londres, falarmos com locais ou imigrantes, o alinhamento político dos profissionais taxistas é curiosamente à direita.

Boris prometeu trazer de volta os saudosos *Routemaster* e com isso quase fez balançar o voto de gente como o meu marido, que juraria que as pessoas tendem a comportar-se de modo mais civilizado nos velhos autocarros. Os saudosos das conversas com os picas de meia-idade, de uma certa atmosfera de respeito e silêncio, da liberdade da porta escancarada ao vento e à chuva por onde se podia entrar, sair, apanhar ou largar a boleia de um autocarro. O *Routemaster,* com as suas aragens de ar frio, era a marca do passado, o *bendy bus,* o seu interior hermeticamente selado, de janelas trancadas, a do futuro. Em cumprimento do que prometeu, e para retirar das estradas até 2015 os quase 400 *bendy buses* que o seu antecessor Livingstone lá colocou, o *Mayor* lança agora um concurso destinado à reconversão no século XXI do velho *Routemaster* (dos velhinhos só restam dezoito a circular e uns quantos que se podem alugar para servir de transporte aos convidados de um casamento).

E, sim, quanto ao eterno problema da habitação que Boris terá de enfrentar, está visto que não se fabricam poções milagrosas em tempos de crise. Os anos de bonança davam rédea solta à ganância, cobiça e irresponsabilidade humanas. Pedia-se emprestado cinco e seis vezes o salário anual para ser pago a trinta anos, fosse para comprar casa própria, fosse para comprar casas destinadas a férias ou ao arrendamento, na cunhada expressão de *buy-to-let* (comprar para alugar). Eram os tempos em que ninguém procurava refrear a paixão dos londrinos e dos ingleses em geral por investir e coleccionar portfólio em propriedade. Em 2006, dois terços das casas construídas em Londres foram vendidas a investidores a preços alienados das regras da procura e da oferta. A especulação somava e seguia, quem possuísse casa no centro de Londres transformara-se, do dia para a noite, em milionário. O desejo de propriedade enraizado na psique inglesa desde os tempos vitorianos, altura em que os ingleses já possuíam a sua casinha, o seu jardim, enquanto o resto da Europa arrendava apartamentos em prédios, era justificado por perguntas que emudeciam e atemorizavam o inquirido: E como vais conseguir pagar uma renda em Londres com o dinheiro da reforma? Era uma pergunta que ficava sem resposta.

De facto, não conheço nenhum pensionista reformado a arrendar casa em Londres, mas tal explica-se tanto pela carestia de vida como pelo desejo de sossego que julgam alcançar na província e em países do Sul da Europa.

Há poucos meses, aproveitava a todos, governo, bancos e agentes imobiliários, excitarem a gula, a inveja, estádios de ânsia, frenesim e tudo o que é sobejamente humano. Mas veio o *credit crunch* e a *property ladder* tornou-se quase impossível de trepar. Curtos em dinheiro, os bancos andam finalmente cautelosos a emprestá-lo: dois terços dos pedidos de crédito para compra de casa são chumbados, os empréstimos a 100% e a 110%, tão populares há um ano, eclipsaram-se.

E, assim, os que necessitavam de empréstimos superiores a 75% adiam a compra de propriedade. Os proprietários «adiados» são hoje desviados para o mercado de arrendamento, no qual o preço das rendas disparou, com a restante inflação, dois pontos percentuais por trimestre; deste modo, uma renda em Islington já custa em média 1480 libras por mês. Agora estão parados na escada a ver o que acontece. Os que já lá estavam seguram o lugar que tinham, com medo de rolar para baixo. Os que não tinham lá posto o pé esperam que os outros rebolem. E diz-se que o congelamento do crédito vai durar até 2012, data em que os miríficos Olímpicos e o investimento feito na reabilitação da zona extrema ocidental de Londres, a chamada East End, estádios e outras infra-estruturas de peso, dissiparão todos os problemas. Mas suspeito de que, para Boris e para o P.M. (Prime Minister) que lá estiver na altura, essa será mais uma dor de cabeça antes de dar frutos que se vejam.

Maio, 2008

Espreito pela janela e vejo o parque. O parque está cheio. E também o parque de recreio. Os baloiços, os escorregas, a areia que as crianças escavam e amassam em baldes e castelos. O barco, o coelho, o elefante, o comboio onde brincam. Está cheio. É o primeiro dia verdadeiramente quente do ano: 2 de Maio de 2008. Há umas semanas ainda nevou. Já era Primavera e os miúdos fizeram bonecos de neve e o meu filho não gostou de tocar a neve. A sua primeira experiência com o *cold*, uma palavra que ele ainda não sabe opor a *hot*, essa palavra que já aplica tão bem quando toca no forno, no secador de cabelo ou em comida. *Hot*, a sua primeira palavra em inglês, curta, precisa, mais fácil do que *quente*.

O barulho que os miúdos fazem no parque enche a casa, chama-nos para baixo onde encontro uma família visivelmente judia. Eles, pais ou filhos, de cabelo tosquiado na nuca a que escaparam duas melenas laterais, soltas ou entrançadas. E mesmo pequeninos, de 3-4 anos de idade, já de *kippah*, de blusa branca com colete preto, de calças e sapatos pretos. A mãe, uma mãe de seis filhos, de touca. Pergunto-me se conserva ou não o cabelo que por tradição deveria cortar e cobrir com peruca. Assim mo disse uma grande amiga sobrevivente de um dos campos da Segunda Guerra Mundial e sempre me disse também, receosa do anti-semitismo que os extremistas provocam: «Não diga que são judeus. São religiosos. Vestem-se como se vestiam os polacos, os russos e a Europa de Leste do século XIX. Na Tora não está escrito para se vestirem assim. E no tempo de Cristo ou na Idade Média não se vestiam assim. A serem coerentes com os antepassados, deveriam vestir-se hoje com túnica branca, como os árabes.»

A mim não me incomoda, como a ela, vê-los por aqui assim vestidos. Nem é a primeira vez que vejo judeus *haredi* no Norte de Londres. Vejo de quando em vez um rabino de longas barbas seguido de perto pela respectiva mulher, de touca e passo enérgico, não fosse ela quem cuida do lado prático da vida. Vêm de Holloway Road onde também existe uma loja que vende paramentos religiosos judaicos, pela amostra de *menorahs* e candelabros de sete braços, expostos na montra. A comunidade judaica de Londres é maioritariamente ortodoxa, descendente dos judeus asquenazes da Europa de Leste que recusaram o movimento reformista surgido na Europa Central e Ocidental, proponente de uma maior integração e assimilação das culturas circundantes. Stamford Hill em Hackney, no Norte de Londres, ou Golders Green, são casa desta comunidade ortodoxa judia, a maior do mundo a seguir à israelita e à nova-iorquina. A sinagoga ortodoxa Finchley, mais conhecida por Kinloss, situada a noroeste, é uma das maiores da Europa, dotada de *yeshivas* e de proeminentes rabis. As três famílias judias que vieram hoje ao parque são numerosas. Cada qual com cinco ou seis filhos, chegou na respectiva carrinha monofamiliar. Não muito longe estão três jovens árabes com véu. Falo com uma mãe que vigia o filho no escorrega: «Finalmente chegou o calor», comenta, enquanto vai dando ordens de cautela ao filho numa língua que me soa a Médio Oriente. Faço-lhe a pergunta óbvia e responde-me que vem do Líbano, de dez meses de Verão por ano. As conversas entre mães não se alongam, entrecortadas por um vaivém de corridas a fim de evitar o desastre ou quando este já se consumou e a criança berra ou pôs outra a berrar. É então altura de pedir desculpa à outra mãe, repreender, dar palmadas ou tentar devolver os brinquedos roubados: pá, balde, bolas, triciclos, miniaturas de carrinhos de bebé para os miúdos empurrarem, imitando o que os adultos fazem. A imitação é um fenómeno em que nos iniciamos desde tenra idade: o meu filho come húmus, pistachos e *snacks* de tortilha para imitar o pai mal chega a casa, beberrica com satisfação a nossa chávena de chá e sorveu cedo o seu primeiro gole de cerveja, experiência que não quis repetir.

Depois de tantos anos a imitar, copiar, memorizar, são raros os que, crescidos, largam o hábito. Copiar é confortável. Aqui no jardim, por exemplo, os carrinhos das mães são maioritariamente da marca *Maclaren* ou *Bugaboo* (eu aderi à segunda). Pais e filhos usam uns populares sapatos de borracha de cores berrantes. Vejo, por exemplo, uma mãe de balão assoprado, arrastando pela mão uma cria insubmissa em idade suicida. Apesar do espectáculo nada convidativo, já sei que esta mãe vai encontrar seguidoras e, sim, claro, comprar o popular carrinho para duas crianças de três rodas. Tenho dificuldade em entender o que leva uma mãe a querer repetir tão depressa o petisco de um segundo bebé, o que decorre da dificuldade em compreender pessoas a anos-luz de mim. Neste caso, mães sequiosas de maternidades, uma atrás da outra, sem pausas de respiração. Nunca entenderei frases como «Vamos a despachar isto!» aplicadas à maternidade. O que não significa desprezo. Respeito a medida dos copos alheios, tanto quanto respeito a medida do copo que posso tragar. Repetir demasiado cedo a intensidade da experiência materna arruinaria o que comecei a desfrutar. A merecida, ansiada, recompensa para o maior investimento da minha vida. O prazer que sobrevém à medida que reconquisto algum bem-estar físico, liberta da amamentação, das noites em branco, e aprecio a exploração e o crescimento do meu filho no mundo.

E lá vem a Katryne, uma alemã, montada na sua bicicleta com um atrelado e um minicapacete para a filha. Mais um *«Hello!», «How are you today? And how is Ilza?»* e, passada uma meia hora sem muito mais para dizer, de conversas puxadas aos solavancos, um *«Bye», «See you!»*. Mas desta vez não foi assim. Desta vez, sou desviada da Katryne por Raina, uma avó meio checa, meio búlgara, que me acena. A avó mais sacrificada que conheço. Reformou-se dois anos mais cedo da vida num laboratório farmacêutico para vir tomar conta da neta numa cidade onde mal arranha a língua. E diga-se que, não sendo alguém que careça de interesses ou vida própria, tanto mais lhe pesa o sacrifício. Deixou em Praga amigos, concertos, teatros, o namorado que a vem visitar de quando em vez. Por outro lado, não a vejo especialmente talhada para crianças, é aos poucos que ganha jeito a brincar com a neta. Vive num apartamento a dez minutos da filha, que esta custeia, pois sai-lhe mais barata a renda da casa da mãe (300 libras por semana) do que enviar a filha para a creche. De olheiras fundas, é fácil imaginar que é ela quem padece as dores de criar a neta. No seu habitual uniforme, reminiscência da Rússia de Brejnev onde se licenciou em Farmácia, a sua aparente meia-idade não convida outras mães à aproximação.

«Comment ça va, Raina?»[5] Falamos num misto de francês e inglês, este ao nível elementar do curso que anda a tirar e que este país, há pouco tempo, ainda oferecia de borla aos imigrantes.

«Bem. Ando a ler os russos contemporâneos», mostra-me o livro que requisitou na biblioteca local e explica: «É para aprender o russo de hoje, sabes. É mais difícil de entender que o russo clássico. Aos clássicos (russos), entendo-os melhor. Li-os há muito tempo.»

O esgar que me dirige, uma cara que não sabe desenhar um sorriso, faz-me pensar no que esta mulher penou e pena, com uma neta confiada aos seus cuidados, que vive mais com ela do que com a mãe. É com Raina que comparo as horas de sono que os bebés nos roubam e o despontar de molares e caninos. À mãe, por sinal, só avistei uma vez, no parque, a saltar de energia e a contar como foi esquiar na Escócia, fazer montanhismo no País de Gales, tirar um curso de Francês a Paris. As diversões dessa misteriosa mãe saltitante, entre exposições, palestras, concertos, acordam impessoais reminiscências da minha anterior existência de solteira. Também eu fui uma *party girl*[6], sempre ao volante do carro a caminho da festa seguinte. Não é um alívio ter deixado a estrada do desespero e ter acatado a estrada da natureza e dos seus ciclos? Raina põe-me a par dos planos de férias a sós com a neta em Varna, terceira cidade da Bulgária, covil de máfias russa e chechena onde, como velha funcionária do *apparat,* possui uma casa em frente do mar Negro. A maternidade tem de ser sacrificada para ser boa maternidade, penso, recordando as últimas férias e corridas noite fora para o centro de saúde e farmácias de serviço em Alcácer do Sal. Mas logo verifico como estou a ser defensiva. Não é útil o sacrifício em demasia, nem uma fatalidade, não fazem bem as maternidades isoladas, sem o auxílio de uma família. E se, por exemplo, eu não precisasse de

[5] Como está, Raina?
[6] Rapariga de festas.

desembolsar 50 libras, 20 para os bilhetes e 30 para a *baby-sitter*, de cada vez que vou ao cinema e de me arrepender seriamente pela má qualidade do filme, que me impede de repetir a experiência?

Sim, faz sol. A vida parece aos poucos melhorar. Umas horas extra de luz a cada dia que passa. Um misto de silêncio rasgado pelo chilreio de pássaros e pelo coro de mães, filhos, avós. E para quem por aqui passe e se depare com este azul, tão azul como o de Lisboa, um ar menos poluído bem no coração de Londres, um calor tão apertado que põe os londrinos de *shorts* e havaianas e as crianças meio nuas a chapinharem no chuveiro ao ar livre, a vida parece um idílio. É um idílio, esta vida visível. Agarro-me a este sol que atravessa os ramos das árvores, projecta um emaranhado de sombras no alcatrão do passeio que partilho com os muitos ciclistas que hoje folgaram do metro ou do carro. O sol põe um casal monogâmico de pombos, habitantes do parque de recreio, a arrulhar e a trocar bicadas, e os esquilos já vasculham o caixote de lixo à cata de prodigiosos desperdícios que à noite hão-de matar a fome de raposas.

Quanto à vida invisível, infinitamente mais forte, essa sofre as oscilações de uma mãe no degredo. As mães são criaturas com níveis de susceptibilidade alarmantes, a quem é tão fácil arranhar, beliscar, e por isso se tornam tão defensivas. Secretamente comparam-se e medem os filhos ao mesmo tempo que genuinamente passam conselhos, dicas, estabelecem preferências e alianças. Um mundo como qualquer outro, onde precisamos, e não, uns dos outros.

«Não, não trabalho», «Não, ainda não é tempo de pôr o meu filho na creche. Tem muito tempo pela frente para se institucionalizar.» Tudo isto ouvi, dito com a segurança de quem oculta os dilemas por que todas passamos.

Aqui, como em qualquer micromundo, neste parque onde as mães passam metade das suas vidas, há uma aprendizagem a ser feita. Todas temos preferências, umas vezes correspondidas, outras não tanto. Há uma escala que as mães usam, uma lista A e uma lista B. A implacável crueldade de uma lista C. O tempo é escasso, a vida rápida, e o que concedem aos outros é o que resta da sua dividida atenção, cuidados e extenuação. Não posso levar a mal que uma mãe me cumprimente no dia em que não tem por perto a sua amiga ou conhecida em vias disso e não o faça no dia em que está acompanhada. Eu faço o mesmo. Na maioria das vezes, no entanto, a solidão é a companheira mais fiel, a que se acostumam as mães estrangeiras e muitas das inglesas sem a família por perto.

Mas hoje é o meu dia de sorte, dia de soltar a mão à solidão. O sol é um chamariz, diz-me Valeria no seu «*Ciao!*» Valeria pertence à minha lista A e eu à dela. Podemos agradecer aos Romanos o conforto com que nos entendemos. As aflições e instintos protectores à vista dos filhos em acrobacias que juraríamos lhes vão partir o pescoço, perante a impassibilidade das mães inglesas. E o choque cultural de que nos ressentimos. Com um marido a trabalhar na City até tarde, Valeria está desejosa de ver a mulher-a-dias chegar para poder dar dois dedos de conversa.

«*Oh my God!*», solta Valeria num inglês cantarolado, porque o seu belicoso filho, Francesco, já se atirou ao meu, deixando-o em lágrimas. Mas Valeria não é fácil de abater. De barriga empinada, o segundo filho vem a caminho em menos de dois anos, ressuma de sentido para a vida. Os laços de sangue e de clã já eram caros aos seus patrícios romanos. E a família de Valeria não foge ao estereótipo. O clã é um chamamento muito forte na família, dona de um negócio no qual já estão integrados os irmãos de Valeria e ao qual não escapará o marido no dia em que regressem.

«*No, no, Francesco!*» Agora a vítima é Sylvia, a filha de Louise, que, coberta da areia com que Francesco a presenteia, solta berros lancinantes à medida que esfrega os olhos.

«*Sorry*», desculpa-se Valeria.

«*That's alright*», responde Louise. «*She'll be fine!*»[7]

O meu tom abrasivo e temperamental latino deve a sua domesticação a mães que, como Louise, exemplos acabados do *understatement* britânico, pouco exteriorizam do que sentem e das dificuldades por que passam. Em vias de emigrar para Hong-Kong na sequência da crise bancária que pôs em risco o emprego do marido, recém-instalada numa

---

[7] Não faz mal. Ela já fica bem.

casa que lhe levou um ano a refazer de raiz (telhado, canalizações, aquecimento central, cozinha, casa de banho), responde à minha habitual pergunta de *«How are you?»* com um *«I am fine, just fine. Ye, totally fine.»*[8] É o seu refrão cada vez que a vejo, e o que espera ouvir de mim como incentivo. Por isso, não me atrevo a desafinar o coro. Estamos todas neste barco e venceremos! Quem corta o espírito de vitória exclui-se, dá parte de fraco e perde a face.

Não se enganem, as mães são em toda a parte do mundo criaturas vulneráveis, profundamente vulneráveis, vulneráveis na proporção em que se têm de mostrar fortes, fortes com os filhos e maridos para serem obedecidas, fortes quando regressam ao trabalho com os patrões e colegas, fortes quando deixam os filhos ao cuidado da creche e a culpa as esgana, fortes no começo de mais um dia de trabalho em que dormiram mal, muito mal, e sentiram medos, muitos medos a apertarem o coração. Mas, neste país, elas são vitoriosas.

Raina pergunta-me:

— E o Thomas, já fala?

— Sim, como um papagaio. E a Lala? – inquiro.

— Ela ainda não diz nada. Onde é que tu vives?

— Ali – aponto.

— É alugado ou comprado?

— Comprado.

— E quantas divisões tem?

As pessoas de Leste são nariguadas, lembro-me de o meu marido comentar.

Mas aqui neste país, sem culpa na relação com o dinheiro, ela podia até perguntar quanto pagámos pela casa e eu não ficaria surpreendida; como não fiquei quando Fiona, a minha vizinha, nos tentou vender o CD do marido, no fim de um inocente convite para tomar bebidas em sua casa.

Saio do parque a caminho do Buggens para comprar a dose diária de leite orgânico que o meu mamífero requer.

---

[8] Como estás? Estou bem, mesmo bem. Totalmente bem.

«Oh, hello, Steve», digo com surpresa. *«You've been away for a while.»*[9] Está de volta o sem-abrigo de Highbury Place, sentado no cotovelo da esquina que é a sua casa. Atrás de si uma porta gradeada, em permanente desuso. Por ela se fazia, há sessenta anos, o acesso à estação ferroviária de estilo gótico vitoriano, inaugurada em 1904 pela rainha Vitória. Bombardeada em 1944 por uma bomba V-1, da antiga estação ferroviária apenas resta esta entrada preta, queimada. Tudo o resto foi demolido nos anos 60 para dar lugar à actual estação de metro de Highbury and Islington, troço da Victoria Line.

Noto como Steve está limpo, a barba feita, as roupas novas e lavadas: *«I almost didn't recognize you.»*[10] Explica-me que há jogo amanhã a que vai assistir no *pub local*, onde suspeito não o admitiriam com o aspecto de um *homeless*.

Amanhã vai derreter o que ganhou em *pints,* vai arrastar-se bêbedo como um cacho para esta esquina e cobri-la de umas quantas latas, e muito provavelmente vai-se engalfinhar em mais uma briga com os *homeless* locais, o que da última vez o deixou em muito mau estado, de cicatriz na cara. Momentos de companheirismo que alternam com o ódio e a competição de quem disputa um pouco de pão para a boca e muito álcool para atordoar a alma. A malquerença dos outros para com Steve vem das conquistas que fez na vizinhança. Uma das vizinhas empresta-lhe o carro para dormir nas noites mais frias.

Talvez pela dignidade de que deu sinais, uma vez, ao recusar a esmola diária do meu marido, dizendo: *«I have my pride, you know. I've got enough for today.»*[11] E de outra: *«You don't have to.»*[12]

Steve conta-me que tem amigos novos que o vestiram, lhe deram este colar de ouro sob a camisa branca entreaberta, e isso faz-me recear que estejam a usar como mediador em negócios obscuros este morador de um lugar insuspeito.

[9] Oh, olá, Steve. Tens andado afastado.
[10] Quase não te reconhecia.
[11] Eu tenho o meu orgulho, sabes? Por hoje já tenho que chegue.
[12] Não tem de o fazer.

— Adeus, Steve. Vou comprar leite para o Thomas.

— Diz ao teu marido que tenho sentido a falta dele.

— Está bem, prometo.

Steve tem conversas com o meu marido. Contou como numa outra vida que teve na Irlanda, onde deixou uma filha, lhe publicaram um dos seus muitos poemas numa revista. O seu livro favorito é *Guests of the Nation*, de um conterrâneo, Frank O'Connor, e o poema favorito, de Thomas Hardy, «*Ah, are you digging on my grave? There's some darkness there*», explica, uma escuridão a que Steve, com certeza, não é alheio, como pude comprovar quando cheguei a casa e reli o poema:

> «*Then, who is digging on my grave?*
> *Say — since I have not guessed!*»
> — «*O it is I, my mistress dear,*
> *Your little dog, who still lives near,*
> *And much I hope my movements here*
> *Have not disturbed your rest?*
> *[...]Mistress, I dug upon your grave*
> *To bury a bone, in case*
> *I should be hungry near this spot*
> *When passing on my daily trot.*
> *I am sorry, but I quite forgot*
> *It was your resting place.*»[13]

---

[13] «Quem está aí a escavar o meu sepulcro? / Diz - porque não adivinhei!» / «Oh, sou eu, minha querida dona, / O teu pequeno cão que ainda vive perto / E espero que aqui as minhas mexidas / Não tenham perturbado o teu descanso. / [...] Dona, eu escavo a tua sepultura / Para enterrar um osso, no caso / De ficar com fome junto a este lugar / Passando no meu trote diário. / Desculpa, mas esqueci completamente / Que este era o teu lugar de repouso.

Junho, 2008

«*You get very little for your money in this country*», diz-me Martyna, a minha mais recente amiga, à entrada do zoo londrino, cujo bilhete nos custou 17 libras (20 euros). Muito pouco mesmo, em troca do nosso dinheiro. Para chegar ao zoo à hora de abertura, às dez da manhã, Martyna e eu já tivemos de desembolsar 12 libras (15 euros) cada uma no seu táxi, pois o metro estava com atrasos. E uma vez lá dentro, com bebés de ano e meio, as vistas foram apressadas e mais estimulantes para nós do que para eles: os gorilas ao longe, numa cópia reduzida do seu *habitat* natural, comiam canas de bambu ao pequeno-almoço; os abutres (seriam grifos?) aproximaram-se da rede inquisitivos; vimos uma nuvem cor-de-rosa de flamingos amontoados paredes-meias com os pelicanos, vizinhos de um tigre que se esquivou da nossa presença. Os pinguins tinham sido evacuados para novas instalações, mas a piscina lá continua para ilustrar o modernismo em Inglaterra, nos anos 30, obra de Berthold Lubetkin, imigrante russo em Londres. A precisarmos de dar soltura aos miúdos, procurámos o que o mapa indicava como zoo infantil, uma pequena decepção mas que serviu o propósito, pois dentro de uma pequena cerca puderam abeirar-se e tocar em ovelhas, cabras, galinhas e patos.

Martyna é uma alemã aterrada nesta cidade ainda na era Thatcher, após uma curta experiência de *babysitting* em Paris. Tinha dezoito anos e visitava antes de voltar a casa uma irmã mais velha que aqui vivia. Admitida na universidade de Berlim a que se candidatara, acabou por não ir. Por aqui ficou, estudou, se casou. Lembra-se de como esta cidade era pobre nesses dias, casas baratas, desemprego, greves contínuas convocadas pelos sindicatos. Adaptou-se bem. Muito bem. Noto pela forma como reage à perda do autocarro de regresso a casa. O motorista alegou já ter uma cadeira de rodas a bordo e recusou a entrada do seu carrinho de bebé. Enquanto a minha natural reacção é argumentar que há espaço suficiente para uma cadeira de rodas e um carrinho de bebé, Martyna contrapõe que uma cadeira de rodas necessita de um espaço de manobra mais generoso. Como boa cidadã, acata as regras de vivência neste país sem queixumes. *«Don't fuss!»*[14], diz-me nas entrelinhas.

Martyna é também uma mãe que, à semelhança das inglesas, pouco transparece da pressão a que é sujeita. Exemplo acabado de *«good manners and good upbringing»* (boas maneiras e educação esmerada) ou dos defeitos profissionais de uma psicóloga, assim tento explicar a calma fisionomia que ainda não vi turvada de ansiedade. Para descer ao pormenor, quando o filho faz um cocó, não corre como eu para a muda da fralda, temendo a assadura do rabinho.

Sinto-me bem com ela. Não creio que alguma vez tenha sido «muito» alemã ou mais «inglesa» do que isto. Está perfeitamente adaptada a Inglaterra, mas os comentários, a conversa, o que pensa, é muito diferente do que encontro nas raparigas inglesas. Capaz de uma maior profundidade, não usa um tom que soe artificial. E noto-lhe uma tendência «alemã» para ler as instruções da máquina do café, se munir de mapas mal entramos no zoo, nos *baby friendly*[15] Museus de História Natural ou da Ciência, do mesmo modo que estuda o menu antes de pedir um sumo de maçã e, de um modo geral, pensa duas vezes antes de agir. Um contraste conveniente à minha ansiosa personalidade pronta a despenhar-se na acção.

Na conversa, emprega o tom ponderado de quem tenta desbravar uma floresta e não descansa em clichés. Não termina as frases com *«You*

---

[14] Não armes confusão.
[15] Museus com boas condições para crianças.

know what I mean?» (Percebes?) e não as começa com *«To be honest»* (Para ser sincera). Conta-me como, regressada ao trabalho de psicóloga em *part-time* no NHS, se desdobra em sessões terapêuticas e conferências através das quais divulga o seu trabalho de investigação.

Pergunto-lhe pela última conferência que deu e, antes de responder que correu bem, agradece: *«Thanks for asking.»* (Obrigada por perguntares.) É sincera. A fim de corresponder a estes multicompromissos, sacrifica as horas que passa com o filho, resume: há vantagens mas também muitas desvantagens.

A minha vizinha de baixo, Fiona, é outro exemplo acabado de civilidade. Civilização é uma palavra que descreve bem este país. Os seus cidadãos têm uma boa preparação cívica. Recebem-na na escola, na família, na sociedade. Podem também chamar-se boas maneiras, bons modos, urbanidade. Consiste apenas em respeitar, ao ponto de nunca violar, um restrito núcleo de normas, essenciais para a coesão social. Não parece, mas a coabitação desta amálgama de gente de diferentes proveniências passa por dizer várias vezes ao dia *«hello, excuse me, I am sorry, that's very kind of you, cheers, welcome, right, fine»* (olá, com licença, desculpe, é muito gentil, obrigado, de nada, muito bem).

Ganha-se bastante em conhecer e respeitar o núcleo, o mesmo que se perde em infringi-lo. Aceitação, integração, sucesso. Quem para aqui imigra depressa integra os modos educados da cultura britânica. Esse saudável impulso que o imigrante sente de querer copiar e por vezes ser mais papista do que o papa, tal é o medo de ser reconhecido e estigmatizado, beneficia a todos, indivíduo e sociedade.

Cultivem-se as boas maneiras e assomará a delicadeza humana. *«Good morning, how are you?»,* dizem-me os calceteiros que me ensurdecem os ouvidos há semana e meia a refazer o passeio em frente a casa. *«You have to share»* («Tens de partilhar»), repito em cantilena com as outras mães quando o meu filho no recreio chora, roubados os seus brinquedos pelas outras crianças (acabam a trocá-los uns com os outros). *«Cheers, you are very kind»,* («Obrigada. É muito amável»), agradeço a uma alma caridosa que me ajudou a carregar o carrinho de bebé nas escadas do metro. *«You are welcome»* («Não tem de quê»), ouço em resposta. Saio do metro, meio atarantada sem saber que saída tomar, a desfolhar o *A to Z*, o mapa da cidade, alguém pára e me pergunta: *«May I help you? What are you looking for?»* («Posso ajudá-la? De que está à procura?») Compro um CD, *The Spoken Word, Evelyn Waugh*, por dez libras na British Library, chego a casa, parece-me inaudível, volto à loja e começo assim a reclamação: *«I am really sorry to disturb you»*. («Peço muita desculpa por incomodar.») Resulta e, sem discussão, consigo o dinheiro de volta.

Esta é uma sociedade retributiva, onde as acções são apreciadas, premiadas, as intenções desprezadas. E papagueio David Lodge, em caso algum se esperam almoços grátis. Em caso algum se trabalha gratuitamente, a não ser que faça parte da premissa pré-acordada. Uma reclamação pertinente do mau serviço de um banco, da British Telecom, da Thames Water, da má qualidade de um DVD ou dos alimentos de um supermercado gera mais do que um pedido de desculpas. Traduz-se forçosamente numa compensação financeira, libras a pingar. É fácil de rotular esta sociedade de materialista, calculista. Mas devo dizer que tendo vivido num mundo oposto a este, um mundo onde a gratuitidade é valorizada, muitas vezes forçada, o que leva a que gerações de licenciados acabem a ser exploradas em «estágios» sem qualquer compensação financeira, entendo que a natureza humana floresce melhor numa cultura onde as pessoas obtenham prémios materiais e não se fiem em intenções, boas vontades, arbítrio de consciências. Ironicamente, a cultura anglo-saxónica é menos torcionária da matéria humana, mais justa. E, para aqueles que dizem que aqui a generosidade, a gratuitidade, não pode brotar, diga-se que a mesma é canalizada para a sociedade cívica que se pauta por um extremo profissionalismo. Aí estão as ONG, o Exército de Salvação, as lojas Marie Curie Cancer Research Center que fazem verbas para a pesquisa contra o cancro através da venda de roupas em segunda mão, doadas pelos londrinos. A National Lottery, maná de fundos a que se candidatam autarquias, museus, bibliotecas. E ainda o trabalho de voluntariado prestado por uma vasta maioria de estudantes pré-universitários, a expensas do Governo, em países em vias de desenvolvimento e o de senhoras de meia-idade, em casas-museus que pertencem ao National Trust ou ao English Heritage.

Mas voltando à minha vizinha de baixo, Fiona, e ao que me tem ensinado. Diz-me que os pais lhe ensinaram a nunca permanecer mais de três noites seguidas em casas de amigos ou conhecidos, assim tornando a sua visita sempre desejável e evitando o abuso da hospitalidade dos outros. Reciprocamente, a mãe também a ensinou a não permitir que outros abusem da hospitalidade de Fiona e agora que uma prima do marido, de malas, bagagens e uma recém-nascida, pretende tirar umas férias no apartamento dela, a mãe aconselhou-a a inquirir a dita prima se não ficaria mais confortável noutro lugar: «*Wouldn't you be more confortable in a hotel?*»

Foi Fiona que me mostrou o Foundling Museum, um favorito, a propósito do qual me deu um *zoom* sobre a sua vida. O museu adjacente ao Foundling Hospital, em parte semelhante à nossa Santa Casa da Misericórdia, documenta a vida dos 27 mil *foundlings,* ou crianças enjeitadas por razões de pobreza, ilegitimidade, orfandade, que o hospital recolheu. Esse número nunca passou de uma magra figura no firmamento de mil crianças abandonadas anualmente nas ruas de Londres desde o começo do século XVIII até 1953, ano do fecho da instituição. Uma minoria, apurada por sorteio de roleta no seio da maioria, trazida em braços por mães e familiares, rejeitada por bola preta. Ouvidas cassetes em que três *foundlings* relatam como foram privados de afecto e sujeitos à crueldade dos mais velhos na instituição, às vezes entregues ao sem-amor de *foster parents,* famílias de acolhimento remuneradas para o efeito, foi a vez de Fiona me contar como ela própria odiou a sua experiência de *boarding school* feminina (um colégio interno). As *single-sex boarding schools* (escolas internas com separação de sexos) contam neste país com uma longa tradição e continuam a obter resultados superiores aos das escolas mistas, as *co-educational schools* que ganharam adeptos nas décadas de 60 e 70. Apenas uma vez, já adulta e terminado o internato numa escola feminina, Fiona comunicou aos pais o trauma por que passara. Quartos sem aquecimento, algumas punições corporais com vista a enrijar corpo e mente, as más qualidades de um sexo agravadas pela exclusão do outro, uma intensidade competitiva focada na obtenção de resultados combinada com uma fanática intolerância perante erros. Fiona escapou à depressão e anorexia que afectaram algumas colegas. A revelação deixou os pais mudos, cheios de culpa, e o assunto não foi mais puxado. Entre a família, o machado ficou enterrado. Hoje ela é uma defensora das escolas mistas que, em sua opinião, preparam melhor para as relações entre os sexos, dissuadem a homossexualidade e serenam os adolescentes. A privação do convívio com o sexo oposto, diz-me, reveste-o de uma carga ilícita, transgressora, às vezes redutora do sujeito a objecto sexual.

Fiona tem os tiques de quem frequentou um colégio interno feminino, Cheltenham Ladies College, um nome tão sonante como o são, para rapazes, Eton, Harrow ou Winchester College. Tudo conhecidos nomes de *public schools* (a denominação «ensino público» explica-se historicamente, já que, à data em que surgiu, a regra era a educação privada praticada em casa com um tutor). Fiona é assertiva, autoconfiante, toma bem conta da conversa, recheada de humor, e não cai em silêncios. Tem uma autodisciplina, capacidade de trabalho e ambição que admiro. Licenciada em Estudos Clássicos por Oxford, advogada numa das maiores empresas de Londres, tirou um ano sabático para escrever um romance e espera tornar-se escritora. Levanta-se cedo e escreve até o marido chegar. Só põe o pé na rua para consultar os arquivos audiovisuais das mulheres que viveram a Segunda Guerra Mundial, o assunto da sua ficção. Em seis meses produziu o seu primeiro romance histórico e começou a contactar agentes e editoras.

O Cheltenham Ladies College cumpriu o que promete fabricar: «As nossas raparigas são empreendedoras, amigáveis e ambiciosas e têm uma determinação e uma energia maravilhosas.» É para as *public schools* em regime de internato *(boarding schools)* ou externato *(day schools)* que as famílias da *upper class* ou com pretensões a tal ambicionam enviar os filhos. Mas não só. Nos últimos nove anos que coincidiram com o *boom* económico de Londres, as famílias ricas da Índia, China e Rússia começaram a enviar os filhos para estudar neste país. Embora instituições mais famosas como Eton ou Harrow limitem a quota para estudantes estrangeiros aos 10%.

Os novos-ricos querem dar aos filhos o mesmo que os velhos ricos. Boa educação, boas maneiras, bons casamentos e empregos. Globalizou-se a crença numa educação britânica baseada na disciplina, auto-confiança e assertividade (a educação americana perdeu pontos pela orientação desportiva) e, diga-se, na criação de uma rede social que trará benefícios a médio prazo. A atestar a actualidade do dito «as *boarding schools* são as creches dos nossos homens de Estado», aí estão dois ex-etonianos, David Cameron, líder do partido conservador, e Boris Johnson, *mayor* de Londres. O convívio que as *boarding schools* promovem com os nobres e ricos deste mundo instila a não subserviência, *panache* desta cultura. Por detrás dos muros destes colégios, por entre a familiaridade do tu-cá-tu-lá com os futuros grandes à mesa do mundo, esfrangalham-se os segredos da matéria humana.

Esta opção envolve sacrifícios. Os pais dispõem-se a separar-se dos filhos quando eles perfazem cerca de onze anos, idade que no tempo da rainha Vitória recuava aos três ou quatro anos! E a pagarem propinas que variam entre as 25 e 30 mil libras por ano, o que em tempo de crise como os que hoje se vivem obriga as possidentes famílias inglesas a penhorarem os *Rolex* e anéis de diamantes, a confiar nas notícias do FT *(Financial Times)*. Ainda a confiar na mesma fonte, que tem dado provas do melhor jornalismo e apesar de me soar a exagero, os pais estrangeiros muitas vezes querem comprar casa em Londres, em locais como St John's Wood e Knightsbridge, de preferência com porteiro vinte e quatro horas por dia, destinadas aos encontros familiares nas férias do internato escolar.

Fiona apanha-me mais uma vez nas escadas. E mais uma vez não me diz que tem pressa de ir para o ginásio, para os seus arquivos, para a sua escrita. Diz-me: *«Listen, I let you go.»* Ouve, deixo-te ir, como se fosse eu quem tivesse a urgência de partir.

Às vezes desespero a pensar que nunca me vou conseguir abeirar mais do que uns centímetros das raparigas inglesas. Correctas. Absolutamente com os seus *«Hi!»* e *«See you»* sempre no mesmo tom, nem esfusiante, nem apagado. Cada uma na sua vida, vemo-nos de passagem, no cruzamento do que cada qual tem a fazer. O convívio é útil a todas as partes. Areja-nos o espírito, permite troca de preciosas informações. A timidez não é cultivada. Se me apresentar, se falar, se inquirir, recebo mais do que um grunhido. Sim, a amizade escasseia. Mas não me sinto privada de algo que abunde. Explico, as inglesas que conheço não têm mais amizades do que eu. Talvez um pouco mais de *acquaintances,* conhecimentos, se são nadas e criadas em Londres.

As dificuldades de encaixe cultural saltam à vista desarmada. São solitárias as mães italianas, as espanholas, até as australianas. São solitários os poucos homens em casa a cuidar dos filhos que me saltam à vista quando vou ao parque. *Arctic culture.* Cultura do Árctico. Vem-me aos ouvidos esta palavra, usada por uma mãe australiana para descrever a cultura inglesa. As australianas nunca serão capazes da distância das inglesas, e por vezes caem na asneira de quebrar a distância cedo demais, importando palavras da sua casa, pouco hierárquica e menos «classista». Já ouvi *«pal»*, *«friend»*, *«big boy»*, *«mate»* (amigalhaço, amigo, rapaz grande, companheiro), serem usadas por um australiano para com o seu superior, com idade para ser seu pai, no local de trabalho.

Um inglês que já aqui não vive descreveu-me as inglesas como um produto de classe. Como toda esta sociedade. Usou palavras como «fúteis» e «insinceras» para as distinguir das raparigas europeias, francesas, espanholas, italianas, que considerou mais sinceras. Partindo do pressuposto de que é possível tirar médias e generalizar os traços de uma cultura, será que concordo? As inglesas são assertivas (uso como ponto de comparação as portuguesas: menos assertivas) mas a transparência de sentimentos, a impulsividade, não é cultivada. Esse tipo de transparência é uma fraqueza, não cai bem. «Sorrir e Aguentar» é a tradução da comum expressão *«Grin and bare it»*, aplica-se a inoportunas pessoas/acontecimentos que se nos atravessem no caminho e pressupõe distanciamento, ironia, impenetrabilidade, duvido que tal expressão alguma vez pudesse ser exportada para Portugal. Por outro lado, as inglesas não são mais nem menos fúteis do que as portuguesas, mais ou menos superficiais; são é anti-intelectuais, se comparadas, por exemplo, com as francesas. Cultivam o discurso rente aos factos, o sentido de humor, ninguém parte para maiores abstracções ou snobices intelectuais, o que é risível aos olhos da sociedade.

Receio que pouco me ajude aprofundar o que nos separa. O melhor mesmo é seguir o prosaico exemplo dado pelo meu filho para dar entrada no mundo dos adultos: copiar. Mas, para copiar bem, tenho de o fazer com convicção. E é convicta que digo antes de ela se desembaraçar de mim: «Olha lá, Fiona, que tal uma chávena de chá em minha casa na próxima semana?» «Sim, claro. E eu levo a música escocesa para o Thomas.»

Fiona é uma destas *brits* que têm vaidade em lembrar a metade de origem não inglesa. O seu apelido é McCullough, ilustre família cujo *kilt* ou padrão escocês foi envergado pelos homens da família no dia do seu casamento, casamento que teve naturalmente lugar na Escócia, aonde se desloca assiduamente para outros casamentos, baptizados e funerais de primos próximos e distantes, bem como para férias e reuniões dos descendentes da árvore genealógica McCullough, as piadas giram em volta dos escoceses, o *whisky* que nos oferece é *Glenfiddich,* a cerveja *Guinneas* e o último passatempo que ela e o marido inventaram, pois ainda não têm filhos, foi tirar um curso em danças tradicionais escocesas.

Para rematar a nossa conversa, apenas me vêm à boca as poucas palavras que sei em escocês: «*Ay Lassey!*» O que em português seria: «Sim, menina.»

Julho, 2008

Sábado foi passado numa casa em redor de Kilburn Wells, por entre árvores jovens, se comparadas com as de Highbury Fields, plantadas nos finais de 1800 para fazer face à poluição industrial, à qual se revelavam particularmente resistentes. Em Kilburn deparamo-nos com uma arquitectura *late victorian* (vitoriana tardia) de tijolo a descoberto – *bay windows*[16], tectos baixos, interiores sombrios e ziguezagueantes – que ressoa tons monocórdicos e canhestros que não ampliam a alma. A arquitectura vitoriana encolhe-me, aborrece. Como explicar essa falta de projecção, altura, o todo *«a little bit dull»*[17]?

Na urbanização vitoriana, impulsionada pelo conjunto «decréscimo de mortalidade-afluxo de dinheiro ao Império», é visível a falta de mão de um arquitecto. Era o promotor ou construtor imobiliário que se encarregava de decalcar, na extensão de terreno adquirido, o mesmo molde, uma só fachada e altura, muitas vezes compondo casas geminadas que lhe asseguravam um maior lucro. As chamadas *terrace houses* destinavam-se a alojar os trabalhadores de distritos industriais, durante a forte expansão industrial (especialmente têxtil) que se seguiu à Revolução Industrial. O estilo disseminou-se pelo Reino Unido e até à Segunda Guerra Mundial era a forma encontrada de alojar uma crescente densidade populacional, em contraste com outras soluções europeias. Em

---

[16] Janela de sacada.
[17] Um pouco apagado, desinteressante.

Paris, por exemplo, a resposta é a reconversão e criação de grandes blocos residenciais, muitos com assinatura de arquitecto. Seduzido por Londres, os seus vastos parques, o saneamento público, as transformações ali operadas pela Revolução Industrial, Napoleão III confia ao prefeito Haussman a urbanização da cidade. Este, por sua vez, delega em vários arquitectos com destaque para Deschamps a renovação e homogeneização de Paris durante o segundo império (1852-1870). Na esteira do *slogan* que já vinha de Rambuteau («*donner aux parisiens de l'eau, de l'air et de l'ombre*»[18]), são priorizadas as condições higiénicas e sociais das classes pobres, concentradas em bairros cuja densidade populacional se aproximava das 10 000 pessoas por km². O estilo Haussman, que ganhou herdeiros, não cria apenas ruas, praças, *boulevards* e *arrondissements*[19], pontes, gares, esgotos e canalizações, intervém no aspecto estético dos edifícios, cria uma fachada típica, alinhada, de cinco andares, que oferece habitação em apartamentos, e não em casas. Toscamente, isto explica a longa tradição dos parisienses com o mercado de arrendamento e a maior coabitação dos londrinos com a propriedade individual.

Mas regressando ao objectivo da nossa viagem a Kilburn: visitar um casal anglo-irlandês, Lady Jane, na casa dos setenta, e Sir Andrew Edwards, *Bart.*[20], na dos oitenta.

Os donos da casa, excêntricos aristocratas, donos de um castelo na costa irlandesa, envelheceram aqui, num espaço moldado às suas personalidades, no qual nunca ousariam fazer obras de conservação. Todo o investimento canalizado para quadros, mobiliário e livros adicionados à já volumosa colecção de família, amontoados pelas divisões. Um Turner, um Osborne (famoso pintor irlandês), um Constable; primeiras edições de Chaucer, Jonathan Swift, Joyce e T. S. Eliot. Os Edwards e os seus cinco filhos mudaram-se para aqui após uma estada no sótão da casa do pai de Lady Jane, um invulgar médico de clínica geral ou, como aqui se

---

[18] Dar aos parisienses água, ar e sombra.
[19] Freguesias.
[20] Baronete: cavaleiro hereditário, de pai para filho primogénito; a sua criação remonta a Jaime I, primeiro rei comum a Inglaterra e Escócia.

diz, G.P., *general practicioner,* que proporcionou educação superior a quatro filhas. Jane, a primogénita, enveredou pela ginecologia e nunca deixou de exercer a profissão e de contribuir para a economia familiar, nem aquando do nascimento dos filhos, planeados um a um de modo a coincidirem com férias hospitalares. A robustez física e psicológica desta mulher que fez o que tinha a fazer na vida foi várias vezes testada. Um dos regressos ao trabalho, três semanas após o parto, uma gripe epidémica londrina exigiu-lhe catorze horas de trabalho diário e dezenas de visitas domiciliárias. Demonstrou logo em criança a sua vocação. Imaginava então que a despensa da cozinha era o dispensário de uma farmácia e prescrevia receitas aos seus imaginários doentes. O pai, mal começaram os bombardeamentos em Londres, retido longas horas no metro a dar consultas aos muitos que ali procuravam abrigo, despachou a jovem de barco para os Estados Unidos. Na travessia do Atlântico, Jane apaixonou-se por um poeta, mas o pai, posto ao corrente do namorico, fê-la rapidamente regressar e ingressar na London School of Medicine, instituição destinada exclusivamente a mulheres; e, visto que a filha não tinha realizado os exames de acesso à mesma, uma carta de recomendação do Secretário do Interior (Home Secretary), amigo da família, resolveu o problema.

Nos primeiros anos do curso, Lady Jane hesitava entre medicina – profissão mais acessível a mulheres do que advocacia ou engenharia – e enfermagem, mas as suas dúvidas dissiparam-se quando alguém nos Estados Unidos a informou de que a opção determinaria o seu estatuto social – e o seu, pensou ela, era mais condizente com o de uma médica.

Sir Andrew, herdeiro de um castelo irlandês, era filho de velhos amigos da família. A amizade entre as duas famílias que jogavam ténis, praticavam críquete e caçavam juntas recuava a uma rocambolesca história de excentricidade. A seguinte: na torre principal do castelo, um dos seus donos decidiu criar e manter tucanos, alimentados diariamente por vermes vivos. Cada visita hospedada era presenteada, à refeição, com uma pratada dos ditos vermes. Assim se testava o grau azul dos convidados. Apenas um pai e o seu filho ofertados com os ditos vermes não ripostaram e honraram a hospitalidade dos anfitriões. O pai comeu primeiro e depois ordenou ao filho: «*It's your turn.*»[21] Eram os antepassados de Lady Jane. E, por isso, quando Jane e Andrew, que se conheciam desde jovens, comunicaram o desejo de se casarem, obtiveram logo o beneplácito familiar.

Lady Jane revelou-se a escolha certa. Dotada do mesmo «estômago» que permitira aos seus antepassados deglutir os vermes destinados a tucanos, enfrentou sem queixumes a austeridade de Kilburn ou do castelo. Todas as férias dos Edwards eram ali passadas, entre salas e salas sem aquecimento central que, de Inverno ou Verão, estavam sempre mais frias do que o exterior. De facto, as grossas paredes de pedra, em vez de isolarem, deixavam passar uma corrente de ar frio, húmido, quase bolorento, soprando entre interstícios de pedra e argamassa, com quinhentos anos de existência. Falo de factos que testemunhei *in loco*. De noite, deitada na cama, o frio era presença inolvidável, a entrar pelo nariz, a tocar os ossos. Para atravessar as salas, impossíveis de aquecer dada a enorme extensão e a inexistência de janelas de vidro duplo e chegar, por exemplo, à casa de banho sem congelar, foi-me necessário vestir um casaco comprido.

Para visitas menos preparadas como nós, Lady Jane reservava um quinhão de histórias de enrijar o espírito. A de uma criada que viveu no castelo, em plena forma até aos noventa e três, idade em que se retirou, tendo ainda vivido para lá dos cem. Habitou ela um quartinho no topo de uma das torres, com íngremes escadas de acesso, sem aquecimento nem água corrente, só electricidade, onde ficava exposta a temperaturas de dia e de noite que desciam abaixo dos zero graus. Tais temperaturas já são complicadas para os seres humanos, explicava Lady Jane porque, por exemplo, a menos 20°C, não se pode tocar em metal sob pena de os dedos não descolarem.

Prestes a celebrar as bodas de ouro, a dedicação de Lady Jane a Sir Andrew não conheceu inflexões. A carreira e o espírito independente não contenderam com o sentido de dever agravado, em anos mais recentes, pelo declínio físico do marido. É ela hoje quem o conduz de

---

[21] É a tua vez.

33) recebeu chorudas compensações do
onsiderado um «património» que passava
ado será dizer que nenhuma compensação
scravos emancipados.

m espírito ao mercado de São Salvador da
os escravos vindos de Luanda, após quarenta
em que escasseava a água e a comida. Angola
naior quantidade de escravos forneceu ao Bra-
é. De resto, era este o interesse do Império Afri-
uguês dos séculos XVII e XVIII: ser o sangue que
produzir. Os angolanos capturados sobretudo no
antes locais, arrancados às tribos às quais perten-
ransportados para Luanda onde eram vendidos aos
gavam em tão más condições que um período de
engorda se impunha antes de darem início à viagem
Brasil, à qual mu tos sucumbiriam. Os barcos aporta-
mercado de São Sa vador, onde, depois de marcados e
o qualquer outra mercadoria, os escravos aguardavam a
cado, logo em cima. O mesmo é dizei, a troca directa
o café que eles próprios produziriam.

entregues ao senhor da sanzala, vulneráveis às patologias
de um continente para o qual o seu corpo não estava prepa-
ados dos sons de uma língua que desconheciam, destinados
has plantações de cana-de-açúcar e nas de café, proibidos em
casos dos seus cantares, separados da família, ficavam à mercê
r ou menor crueldade dos donos, muitos se suicidando ou abor-
os filhos para não os fazer viver uma vida tão miserável.
lembro agora a Baixa de São Salvador, as ruas calcetadas com
que os barcos portugueses traziam de Portugal, descarregado o
cana-de-açúcar, o café. E nessas ruas, circunscrita a uma roda,
capoeira que os escravos trouxeram de Angola. Nessas ruas, os
tronco nus de negros e mulatos, os capoeiristas, os movimentos
arte marcial que dá prova de robustez física e conta a tenaci-

carro e lhe administra os cuidados necessários à convalescença de uma delicada operação cardiovascular.

Quanto a Sir Andrew, nunca se sentiu realmente atraído por esta mulher tão fora dos cânones que qualquer homem procura numa mulher, desprovida de beleza e terrível dona-de-casa. Raros seriam e são os homens capazes de contornar toda a educação de uma civilização. Além de que as características de Lady Jane – vivacidade, inteligência, pragmatismo, extroversão – apenas acentuavam como acentuam agora a natureza taciturna, ligeiramente melancólica de Sir Andrew. Mas, diga-se a seu favor, que não foi desviado da fidelidade a esta mulher sardenta, alta e musculada, a que o obrigavam a religião e o mesmo sentido de dever com que conduziu e fez prosperar a colecção de arte familiar. A frustração de nunca ter posto o pé em ramo verde, de nunca ter ultra-passado a mera cobiça das mulheres que o atraíam, transparece sempre que fala do casamento e me interroga mal me vê, desejoso de comparar a sua experiência matrimonial: «*And how is marriage going?*»[22]

Como o dia está bonito, somos encaminhados para o jardim, acesso que requer uma passagem pela cozinha, de facto a divisão que faz as hon-ras de sala de convívio familiar, desprovida de máquinas de lavar roupa e louça. A sala maior logo à entrada da casa não aparenta ter qualquer uso e numa outra mais pequena, de tão atulhada, é mesmo impossível entrar. Chegada a este país na recta final da época Blair, o que equivale a dizer em tempos de prosperidade e desperdício, tenho neste casal um exemplo vivo da austeridade de gerações precedentes. O cinto folgou depressa e bem nos últimos quinze anos, mas não se negligencie uma tradição tão antiga quanto a Revolução Industrial, a rainha Vitória, o pós-guerra, a era Thatcher. Não se negligenciem as memórias das dificuldades dos anos 20, 40, 70. O modo como cada geração disputa o palmarés das maiores agruras e sofrimentos. O modo como os pais relembram aos filhos que os cortes de electricidade dos anos 70 eram alamedas de felicidade ao pé

[22] E como vai o casamento?

dos apagões provocados pelos bombardeamentos alemães, do mesmo modo que foram lembrados pelos respectivos pais que a luta contra Hitler era uma pequena cicatriz comparada com a sangria da Primeira Guerra Mundial. O modo como Sir Andrew ouviu do pai, aquando dos bombardeamentos nazis de Belfast em risco de se abaterem sobre o castelo: «*Pictures and art first, women and children after.*»[23]

Já estamos acomodados no jardim de Inverno (aqui chamado *conservatory),* adjacência de tantas casas vitorianas que peca por ser demasiado fria de Inverno e uma estufa de Verão. E observamos o jardim, onde plantas e ervas daninhas se apoderam de esculturas e do caramanchão. Lady Jane ofertou-nos as suas produções vegetarianas, cenouras e rúculas germinadas em vinte dias. Apesar de sempre ter odiado a jardinagem, acomete-se entusiasmada a estas viagens hortícolas desde que se reformou e a invalidez de Sir Andrew tornou proibitivas as estadas no castelo. E porque é hora de chá, o dito é servido, enquanto aguardamos Sir Andrew, que nos espia da sua cama acomodada agora no rés-do--chão, ainda antes de para nós se encaminhar na sua cadeira de rodas.

Sir Andrew dirige-me hoje, como sempre que me vê, umas palavras em português – «Como está?» –, palavras que lhe foram ensinadas por uma *nanny* portuguesa recrutada para o curar de uma gaguez congénita. Curiosamente, a aprendizagem do português ou talvez a mera idade curaram-no da gaguez e a exposição precoce a esta segunda língua permaneceu gravada na sua memória. A sua entoação do português é melhor do que a que encontro noutros ingleses que o tentam falar. Mas as ligações desta família a Portugal não se ficam por aqui. Na sua fuga da Segunda Guerra Mundial, Sir Andrew fez uma breve paragem no Estoril, na ida e regresso dos Estados Unidos. Em lua-de-mel, o casal escolheu uma quinta de amigos nos Açores, aterrou de hidroavião em Cascais e rumou à ilha de barco.

Uma prima de Sir Andrew ajudou D. Manuel II, o último rei de Portugal exilado em Fullwell Park, Twickenham, Inglaterra, a catalogar

[23] Quadros e arte primeiro. Mulheres e crianças a seguir.

a sua magnífica bibli
com a publicação do q
tória e da literatura port no des

E um último motivo ação
do funeral de Charles Boxer
ram. Lady Jane traz-me uma ando
naturas de todos os amigos pre compa
a qual o presentearam. Para que das as
autodidacta interessado na histó Boxer,
sua profícua investigação, tornou-um in
tamento de Estudos Portugueses Graça
Universidade de Londres e primeiro o dep
Língua e Cultura Portuguesas, conhe lege
memória, o departamento mantém um edra
Escreveu vários livros sobre as relações co m
quais, como *Race Relations in the Portugues* Bo
causaram polémica no meio intelectual e a
embora Boxer salvaguarde que o tratamento
seus colonizados foi menos cruel do que o
ingleses, fala amplamente de discriminação
integração harmoniosa inoculada nos banc
do Estado Novo. Desmentir o milagre da a
rio Português valeu-lhe ser declarado *perso*
contrapartida, obteve a estima e gratidão d
do Brasil, presente no funeral de Boxer,
defunto o modo como ajudou os brasileiros

Estimulada por esta conversa, voltei a
Boxer, *The Golden Age of Brazil 1695-1* 7
carteira e mesinha-de-cabeceira e me per
belíssima exposição que o *Museum of Doc*
colónias inglesas. Desmistificando o arq
viver na colónia, entre plantações de açú
maciça classe londrina prosperou com o

carro e lhe administra os cuidados necessários à convalescença de uma delicada operação cardiovascular.

Quanto a Sir Andrew, nunca se sentiu realmente atraído por esta mulher tão fora dos cânones que qualquer homem procura numa mulher, desprovida de beleza e terrível dona-de-casa. Raros seriam e são os homens capazes de contornar toda a educação de uma civilização. Além de que as características de Lady Jane – vivacidade, inteligência, pragmatismo, extroversão – apenas acentuavam como acentuam agora a natureza taciturna, ligeiramente melancólica de Sir Andrew. Mas, diga-se a seu favor, que não foi desviado da fidelidade a esta mulher sardenta, alta e musculada, a que o obrigavam a religião e o mesmo sentido de dever com que conduziu e fez prosperar a colecção de arte familiar. A frustração de nunca ter posto o pé em ramo verde, de nunca ter ultrapassado a mera cobiça das mulheres que o atraíam, transparece sempre que fala do casamento e me interroga mal me vê, desejoso de comparar a sua experiência matrimonial: *«And how is marriage going?»*[22]

Como o dia está bonito, somos encaminhados para o jardim, acesso que requer uma passagem pela cozinha, de facto a divisão que faz as honras de sala de convívio familiar, desprovida de máquinas de lavar roupa e louça. A sala maior logo à entrada da casa não aparenta ter qualquer uso e numa outra mais pequena, de tão atulhada, é mesmo impossível entrar. Chegada a este país na recta final da época Blair, o que equivale a dizer em tempos de prosperidade e desperdício, tenho neste casal um exemplo vivo da austeridade de gerações precedentes. O cinto folgou depressa e bem nos últimos quinze anos, mas não se negligencie uma tradição tão antiga quanto a Revolução Industrial, a rainha Vitória, o pós-guerra, a era Thatcher. Não se negligenciem as memórias das dificuldades dos anos 20, 40, 70. O modo como cada geração disputa o palmarés das maiores agruras e sofrimentos. O modo como os pais relembram aos filhos que os cortes de electricidade dos anos 70 eram alamedas de felicidade ao pé

[22] E como vai o casamento?

dos apagões provocados pelos bombardeamentos alemães, do mesmo modo que foram lembrados pelos respectivos pais que a luta contra Hitler era uma pequena cicatriz comparada com a sangria da Primeira Guerra Mundial. O modo como Sir Andrew ouviu do pai, aquando dos bombardeamentos nazis de Belfast em risco de se abaterem sobre o castelo: *«Pictures and art first, women and children after.»*[23]

Já estamos acomodados no jardim de Inverno (aqui chamado *conservatory),* adjacência de tantas casas vitorianas que peca por ser demasiado fria de Inverno e uma estufa de Verão. E observamos o jardim, onde plantas e ervas daninhas se apoderam de esculturas e do caramanchão. Lady Jane ofertou-nos as suas produções vegetarianas, cenouras e rúculas germinadas em vinte dias. Apesar de sempre ter odiado a jardinagem, acomete-se entusiasmada a estas viagens hortícolas desde que se reformou e a invalidez de Sir Andrew tornou proibitivas as estadas no castelo. E porque é hora de chá, o dito é servido, enquanto aguardamos Sir Andrew, que nos espia da sua cama acomodada agora no rés-do--chão, ainda antes de para nós se encaminhar na sua cadeira de rodas.

Sir Andrew dirige-me hoje, como sempre que me vê, umas palavras em português – «Como está?» –, palavras que lhe foram ensinadas por uma *nanny* portuguesa recrutada para o curar de uma gaguez congénita. Curiosamente, a aprendizagem do português ou talvez a mera idade curaram-no da gaguez e a exposição precoce a esta segunda língua permaneceu gravada na sua memória. A sua entoação do português é melhor do que a que encontro noutros ingleses que o tentam falar. Mas as ligações desta família a Portugal não se ficam por aqui. Na sua fuga da Segunda Guerra Mundial, Sir Andrew fez uma breve paragem no Estoril, na ida e regresso dos Estados Unidos. Em lua-de-mel, o casal escolheu uma quinta de amigos nos Açores, aterrou de hidroavião em Cascais e rumou à ilha de barco.

Uma prima de Sir Andrew ajudou D. Manuel II, o último rei de Portugal exilado em Fullwell Park, Twickenham, Inglaterra, a catalogar

---

[23] Quadros e arte primeiro. Mulheres e crianças a seguir.

a sua magnífica biblioteca, trabalho que muito o ocupou no desterro e com a publicação do qual esperava contribuir para a divulgação da história e da literatura portuguesas.

E um último motivo de ligação a Portugal vem à baila quando se fala do funeral de Charles Boxer, ao qual Lady Jane e Sir Andrew compareceram. Lady Jane traz-me uma salva de prata na qual estão cinzeladas as assinaturas de todos os amigos presentes no casamento de Charles Boxer, com a qual o presentearam. Para quem não saiba, Charles Boxer foi um inglês autodidacta interessado na história da colonização portuguesa. Graças à sua profícua investigação, tornou-se um respeitado académico no departamento de Estudos Portugueses e Brasileiros do King's College da Universidade de Londres e primeiro ocupante, em 1947, da cátedra da Língua e Cultura Portuguesas, conhecida por cátedra Camões. Em sua memória, o departamento mantém uma bolsa e cátedra Charles Boxer. Escreveu vários livros sobre as relações coloniais de Portugal, alguns dos quais, como *Race Relations in the Portuguese Colonial Empire 1415-1825*, causaram polémica no meio intelectual e académico português. É que, embora Boxer salvaguarde que o tratamento dado pelos portugueses aos seus colonizados foi menos cruel do que o praticado por espanhóis ou ingleses, fala amplamente de discriminação racial e desmente a ideia de integração harmoniosa inoculada nos bancos de escola desde os tempos do Estado Novo. Desmentir o milagre da ausência do racismo no Império Português valeu-lhe ser declarado *persona non grata* por Salazar. Em contrapartida, obteve a estima e gratidão do Brasil. O então embaixador do Brasil, presente no funeral de Boxer, fez questão de agradecer ao defunto o modo como ajudou os brasileiros a melhor se compreenderem.

Estimulada por esta conversa, voltei a casa disposta a ler o livro de Boxer, *The Golden Age of Brazil 1695-1750*, que anda agora na minha carteira e mesinha-de-cabeceira e me permite confrontações com uma belíssima exposição que o *Museum of Docklands* dedica à escravatura nas colónias inglesas. Desmistificando o arquétipo do dono de escravos a viver na colónia, entre plantações de açúcar, a exposição revela que uma maciça classe londrina prosperou com o comércio dos escravos e como após a abolição da mesma (1833) recebeu chorudas compensações do Estado pela perda do que era considerado um «património» que passava de geração em geração. Escusado será dizer que nenhuma compensação financeira foi atribuída aos escravos emancipados.

Posso agora regressar em espírito ao mercado de São Salvador da Baía, onde davam entrada os escravos vindos de Luanda, após quarenta dias de viagem em barcos em que escasseava a água e a comida. Angola foi a zona africana que maior quantidade de escravos forneceu ao Brasil, logo a seguir à Guiné. De resto, era este o interesse do Império Africano no Império Português dos séculos XVII e XVIII: ser o sangue que fazia o Brasil viver e produzir. Os angolanos capturados sobretudo no interior por comerciantes locais, arrancados às tribos às quais pertenciam, eram depois transportados para Luanda onde eram vendidos aos portugueses. Chegavam em tão más condições que um período de encarceramento e engorda se impunha antes de darem início à viagem marítima para o Brasil, à qual muitos sucumbiriam. Os barcos aportavam à cave do mercado de São Salvador, onde, depois de marcados e registados como qualquer outra mercadoria, os escravos aguardavam a venda no mercado, logo em cima. O mesmo é dizer, a troca directa pelo açúcar e o café que eles próprios produziriam.

Depois, entregues ao senhor da sanzala, vulneráveis às patologias endémicas de um continente para o qual o seu corpo não estava preparado, rodeados dos sons de uma língua que desconheciam, destinados à labuta nas plantações de cana-de-açúcar e nas de café, proibidos em muitos casos dos seus cantares, separados da família, ficavam à mercê da maior ou menor crueldade dos donos, muitos se suicidando ou abortando os filhos para não os fazer viver uma vida tão miserável.

Relembro agora a Baixa de São Salvador, as ruas calcetadas com pedras que os barcos portugueses traziam de Portugal, descarregado o ouro, a cana-de-açúcar, o café. E nessas ruas, circunscrita a uma roda, a dança capoeira que os escravos trouxeram de Angola. Nessas ruas, os pés e o tronco nus de negros e mulatos, os capoeiristas, os movimentos de uma arte marcial que dá prova de robustez física e conta a tenacidade do espírito. A tenacidade em manter viva a ligação a África, aos antepassados abruptamente deixados. E conta a insubmissão, a impossível escravização da alma. Na altivez das baianas. Nos orixás, o culto dos deuses africanos venerados no candomblé, a religião que os candomblistas praticam nos terreiros aos quais nunca tive acesso. Mas vi à noite, ao longe, as oferendas deixadas junto de árvores, comida e cinzas de fogueiras apagadas. Enquanto comia um acarajé na Praia do Forte e ouvia *O Canto das Três Raças:*

> *Ninguém ouviu um soluçar de dor*
> *No canto do Brasil*
> *Um lamento triste sempre ecoou*
> *Desde que um índio guerreiro foi para o cativeiro*
> *E de lá cantou.*
> *Negro entoou,*
> *Um canto de revolta pelos ares*
> *No quilombo dos palmares*
> *Onde se refugiou*
> *Fora a luta dos inconfidentes*
> *Pela quebra das correntes*
> *Nada adiantou.*
> *E de guerra em paz*
> *De paz em guerra*
> *Todo o povo dessa terra*
> *Quando pode cantar*
> *Canta de dor*
> *Oh, oh, oh, oh,*
> *Esse canto que devia ser um canto de alegria*
> *Soa apenas como um soluçar de dor*
> *Oh, oh, oh, oh.*

Julho, 2008

Escolher um destino de férias em Portugal não foi fácil. Se o Algarve nos piscava o olho – queríamos calor, queríamos um mar quente e calmo conveniente à primeira experiência de praia de um bebé – receávamos as suas enchentes, os seus aldeamentos incaracterísticos. O meu marido, mais do que tudo, temia os voos das companhias Easy Jet e Ryanair que, aos três e quatro por dia, transportam milhares de turistas ingleses ao aeroporto de Faro.

Por sugestão de amigos descobri Tavira, uma cidade genuína. Uma bolha no Algarve. Quintas do Lago, Vila Lara, *resorts* luxuosos tipo Pine Cliffs, lugares novos que nada dizem de um povo ou de uma cultura, não me interessam. Lugares que podiam existir aqui como nas Bahamas, Maldivas ou Seychelles não valem o esforço de uma viagem.

Os lugares têm de respirar uma alma como Tavira respira ainda a história dos pescadores que a fizeram. Uma história desembrulhada por pescadores desempregados da pesca, reciclados para trabalhos sazonais, como este, ria acima, ria abaixo, ria abaixo, ao leme do *ferry* que nos conduz à Terra Estreita, a melhor e menos congestionada praia da Ilha de Tavira. Ao longo do percurso, à medida que a memória desfia histórias velhas, histórias que morrerão com a última geração de pescadores, vêem-se pessoas que ainda fazem uns biscates com a apanha de bivalves – conquilhas, amêijoas, ostras –, mas percebe-se que, apesar do esforço, costas arqueadas, galochas enterradas no lodo, a apanha é magra e de qualidade duvidosa. Como se pouco importasse o nome: Parque Natural da Ria Formosa.

Ao longo do percurso, que leva quase quarenta minutos, cruzamos barcos desactivados. Os arrastões, barcos de maior porte, apodrecem atolados no lodo da Ria Formosa. As traineiras, mais leves, flutuam ao longo da ria, hoje pagas para daí não se mexerem. Como se a paisagem soprasse a mesma história, em uníssono com os lábios dos homens do mar. A história de um porto comercial e das fábricas de atum, sardinha e moagem que desenvolveram a cidade, a última das quais encerrada antes do 25 de Abril. Fábricas hasteando na distância os braços em ruínas das suas chaminés de tijolo. E, lá no topo, ninhos de casais de cegonhas, residentes permanentes que já não migram.

Chega sussurrante a mais distante história de uma praça que apoiou as conquistas no Norte de África – Ceuta, Tânger e Arzila. Projectos expansionistas abandonados com o revés de Alcácer Quibir, a perda de Ceuta e a entrega de Tânger aos ingleses no dote do casamento de D. Catarina de Bragança com Carlos II.

A história de uma prosperidade perdida, um brilho progressivamente mais triste, pois, de há cinco séculos a esta parte, o que Tavira conhece bem é a pobreza. Da pobreza dos habitantes, alguns privados de saúde física e mental, à pobreza das casas baixas, de bairros e praças.

Dos escassos tempos de abastança, sobraram uns quantos palácios e igrejas. Num dia de quase 40°, elegemos dois ex-libris num universo de 37 igrejas, um número surpreendente para terras do Sul com quinhentos anos de permanência árabe. A de Santa Maria do Castelo, construída segundo a tradição no lugar da antiga mesquita. E as ruínas do convento das Bernardas, o maior convento em território algarvio e o único da ordem de Cister, mandado construir em 1509 por D. Manuel pelo contributo militar de Tavira rechaçando um cerco mouro à cidade de Arzila. Perdido o «miolo», resta a fachada em tons de rosa velho, tons comidos pelo sol e o sal, janelas a abrirem sob um céu luminoso e azul, a deixarem antever uma grua. São as obras destinadas ao Convento das Bernardas *Residence*, *lofts* de luxo com a assinatura de Souto Moura.

Por detrás deste esqueleto, rompe uma alta chaminé da já desactivada fábrica de Moagem e Massas a Vapor anexada ao convento, após a extinção das ordens religiosas em Portugal.

A nossa estada coincidiu com as festas da cidade, em Junho, apadroadas por S. João, muito aquém das expectativas. Fraquinhas, apenas quatro marchas populares descem a praça da República e o coração já lá não anda. Os refrães são repetidos por vozes de cana rachada até à exaustão. Só as vestes de duas das quatro concorrentes dignificam a disputa. Talvez em tempos passados os corações se preparassem de outro modo para estas lides. O desânimo porém não espaventa ninguém. A praça está cheia. Grudados de pedra e cal, mirones, turistas, câmaras de televisão e rádio local. E uma das raparigas da marcha grita: «Vou aparecer na televisão!» Faz-se tarde, a progressão é lenta, somos os únicos que debandamos e às tantas caminhamos nas pedras da calçada sobre alecrim, ali espalhado aos molhos, e solta-se um aroma fresco, refrescante.

À vinda, atravessamos o Gilão pela ponte romana e, seguindo sempre em frente, desembocamos numa praça, engalanada para a festa com grinaldas coloridas e cheiro de sardinha assada. Os assadores e suas tendas armadas junto do que foi um belo palácio e é agora sede de um partido político, enquanto não desaba em pedaços. Um busto do último bispo de Faro da época de Salazar fita-nos do jardim da praça, onde colunas de som propagam música africana. Mas ninguém parece tentado a um pé de dança. A estridência da música é irrelevante. Quietas, paradas, as pessoas são tomadas da mesma imobilidade do bispo de Salazar. Regressamos ao hotel pelas estreitas e pobres ruas onde os moradores se sentam à soleira, em cadeiras de praia ou no degrau da entrada, a fazer conversa com os vizinhos da frente.

No meio desta saudosa decadência, desencantamos, na manhã do dia seguinte, uma excepção. A Biblioteca Municipal Álvaro de Campos, de arquitectura límpida, integrada num antigo estabelecimento prisional. Ampla, funcional, agradável a quem ali utiliza, como nós, uma boa dezena de computadores com acesso gratuito à Internet.

E, quanto a restaurantes, Tavira também não se revelou mal guarnecida. No Vela Dois pode encher-se a barriga com peixe fresco do dia, a dez euros por cabeça. Mas também não são maus o Marés, o Ponto de Encontro e é boa a Marisqueira Quatro Águas e o restaurante Ver Tavira, com vista panorâmica sobre os telhados de Tavira, telhados bojudos e pouco íngremes de uma cidade de pouca chuva.

E, por falar em chuva, é isso que nos aguarda quando aterramos em Londres, regressados destas férias em Portugal. Contraste meteorológico chocante. Como a BBC anunciou em Março deste ano e parece ter acertado, os londrinos que se preparem para um Verão descontente. *«Grab your raincoat, pull on a jumper and pack away the barbecue: the summer is officially going to be rubbish. As you'd expect in a British summer, you have to be ready for anything»*[24], leio nos jornais. Está dito, chuva e mais chuva.

Resta-me o consolo das noites de Tavira, em manga e vestidos curtos. Tudo isto arrumo no armário à espera do Verão do próximo ano.

Sim, é bom viver em Londres. Mas tão bom quanto isso é não ser de Londres ou ter como lhe escapar. Para sítios de um país periférico e pobre, mas também cheio de história e de passado, alimento de pretensões que nos fazem sorrir quando vivemos fora.

E, daqui a uns meses, será outra vez. Essa cidade de que sinto falta. Que eu espero e que me espera.

---

[24] Agarre a sua gabardine, enfie um pulôver e empacote o barbecue, é oficial, o Verão vai ser uma porcaria. Como seria de esperar de um Verão inglês, você tem de estar preparado para qualquer coisa.

Agosto 2008

Saio de casa pela manhã disposta a comprar peixe na cadeia local de peixarias, Fish Works, espalhada por Londres. Na Fish Works da *trendy* Upper Street posso comprar de tudo, *sea bass* (dourada), *halibut* (halibute), *codfish* (bacalhau fresco), *squid* (lulas), *monkfish* (tamboril), *swordfish* (espadarte), *lemon sole* (linguado), *brill* (solha).

Como a Euphorium Bakery, a padaria local, também a peixaria tem conhecido sucessivos empregados. Caras que se esquecem depressa. Ou que se recordam por outras razões. Um indiano que se atrapalhava a arranjar o peixe e que nos fazia desesperar ou desertar da bicha. Um italiano do Sul, pequeno e ágil, dois cortes laterais e, zás, recheada de alho e rosmaninho, a solha estava pronta a ir ao forno e a ser regada com os *limoni di Sorento,* oferta da casa.

Hoje descubro um senegalês. Também ele de passagem. Em Londres há um ano, a doença da saudade transborda-lhe da voz, ah, as festas de Agosto do Senegal, dançar, tomar banho, comer peixe, tornar a dançar, ir ao banho. Assim que puder, há-de pular para Paris, onde tem amigos a viver, diz-me em francês, a sua língua natal, na qual comunicamos. Ainda inspirada pelo peixe que comi em Tavira, não muito melhor do que aqui encontro, apenas muito mais barato, peço-lhe que me recomende um peixe de mar, esclareço, e não um peixe de aquacultura. Explico-me: sinto falta de sabor a mar. No meu país, onde passei férias, serviram-me demasiada dourada, robalo e mesmo linguado ou camarão criados em viveiros com rações parecidas com as que se dão às galinhas.

Só já confio em sardinhas, bicas e robalinhos, peixes que apenas o mar pode criar. Ele sorri. O seu país ainda não produz *farmed fish* (peixe de viveiro), o que têm é suficiente para o consumo interno, mas ele sabe bem do que falo. Tem anos de experiência com peixe, que arranja com destreza. Como a loja está vazia, sou a última da fila que despachou num cisco, aponta-me em tom confidente os camarões gigantes e as gambas, que eu julgava autênticas, e diz que também eles são «*farmed produced*», à letra, produzidos em quinta. Afinal de contas, um cenário não tão mau quanto os transgénicos, os alimentos de laboratório tão badalados como alternativa à escalada de preço dos alimentos.

Quanto às sardinhas, que tanto apetecem para um *barbecue* no jardim das traseiras, já sei que são importadas, mas ele acrescenta que para esta ilha são triadas as mais pequenas e congeladas por uns dias até cá entrarem.

Acabo por levar um pouco de atum em posta *(tuna fish)* e *halibut fillet* para filetes. E adio o sonho de grelhar umas sardinhas num destes grelhadores descartáveis que se vendem nos Buggens, Sainsbury's, Tescos e fora de horas nas lojas dos indianos por tuta-e-meia.

Estes dispositivos, práticos, limitados a uma única utilização, foram até ao Verão passado extremamente populares nos parques londrinos. À sua volta prantavam-se grupos de pessoas, em pequenas fumaradas, no meio do calor que inundava Londres. Mas este ano foram proibidos em espaços públicos pelo alegado risco de provocarem incêndios. Grelhamos agora no jardim das traseiras, sob o olhar de alguns esquilos, *robins,* uns lindos pássaros encarnados muito comuns em Londres, e calcando as penas de alguns pássaros que o gato ou a raposa abocanhou na noite passada.

Falando na carestia de preços, o Marks and Spencer acabou de reportar este ano como o menos lucrativo dos últimos vinte, John Lewis, o maior armazém de conveniência, também não escapou à crise, em particular nos bens eléctricos e mobiliário. A queda das vendas em 15% em relação ao ano passado relaciona-se com a recessão das vendas imobiliárias (pois só uma compra ou troca de casa justifica a substituição de objectos que toda a gente já possui em catadupa, sofás, mesas, camas, televisões, candeeiros, máquinas de lavar). E a cereja no topo é que também o mercado accionista que alimenta a economia londrina caiu, até agora 15%.

Em Regent Street, sinto-me uma ave rara à cata de saldos, mais precisamente, de um vestido para um casamento ao qual não posso faltar. Pela amostra os tempos não estão para gastos supérfluos. Vagueio sozinha pela Aquascutum, Austin Reed, Burberry, Hackett, Hawes and Curtis, o que resta dos armazéns *art-déco* Liberty, vendido que foi o rés--do-chão a uma loja de roupa meio desportiva, tipo *Gant.* Dou um olhar de despedida às clássicas lojas Barbour, à Scottish Wear e à Scottish House, de gorros e *kilts* tão *démodés,* à Estridge e suas pacheminas. Lojas que não tardarão a desaparecer e das quais já sinto falta. Como me desgosta ou agrada pensar, sou testemunha de um mundo em acelerado desaparecimento. Pois quem é que hoje em dia compra na Barbour casacos à prova de água ou os célebres casacos à Freitas do Amaral? Os cachecóis de padrões escoceses em cachemira ou lã de carneiro *(lambswool)*? Ressalve-se que a Burberry, apesar da contrafacção, não parece tão má de saúde, pelo menos esta de Regent Street tem saída junto dos asiáticos que aqui vivem. Em boa hora abriu portas e exportou para o Oriente, onde é apreciada.

E em seguida vou a King's Road e deparo-me com o mesmo cenário, *stocks* por escoar, saldos *further reductions* a 70%, dísticos: «everything must go!» (tudo tem de desaparecer). De volta a casa, em Upper Street, passo um olhar pela Hobbs. Cheia como um ovo. Destinada a um mercado topo de gama, chegou tarde demais a Upper Street, no começo do ano e da crise.

Venho de mãos vazias. Os tempos não estão decididamente para esbanjamentos. Decido-me pela contenção. Não apetece prevaricar quando os outros jejuam, e melhores saldos virão, dado que as lojas açambarcadas precisam de escoar o que não venderam este ano e libertar espaço para a colecção de Outono há muito comprada. Obediente, sigo as recomendações do governo, do Banco de Inglaterra e do meu próprio banco, que me tentou vender seguros disto e daquilo, explorando os medos dos clientes. Porque é que bancos e governo apenas apelam à poupança quando esta não se vislumbra possível? No tempo das vacas gordas, nem se falava em tal. A reboque dos tempos, convidavam-nos ao gasto em toda a espécie de porcaria, *«money down the drain»*[25]. O Governo fechava os olhos ao gigantesco e badalado débito privado, ao débito financeiro e comercial corporativo e público, porque o Tesouro recebia esses maravilhosos impostos da venda de casas, dos negócios financeiros da City.

Nas conversas de rádio da BBC ouço repetidamente que 2009 não será melhor e que apenas em 2010 se assistirá a uma ligeira recuperação, que 100 000 pessoas estão em vias de perder o emprego, que as empresas de construção civil, os grossistas e os vendedores de carros estão em apuros. Mervin King, governador do Banco de Inglaterra, usou uma frase lapidar, transformada em cantilena: *«The nice decade is behind us.»* A década bonita, na realidade quinze anos de *boom* efervescente no Reino Unido, um período não inflacionário de contínua expansão económica, um crescimento sustentado que começou em 1992, ficou definitivamente para trás. A economia inglesa assenta no sector terciário, dependia e depende do mercado accionista e da longa aliança com a economia americana. O crescimento económico está previsto na casa dos 1,4% este ano e dos 1,1% em 2009 nas previsões optimistas do Governo. Nas previsões menos optimistas, fala-se num crescimento próximo dos 0%, estagnação ou mesmo recessão ou contracção da economia, diferença imperceptível aos consumidores.

Os meus indicadores humanos andam bem próximo do cenário mediático. Louise, casada com um financeiro da City, não olhava até há bem pouco tempo para as contas da creche, para as 500 libras por semana. *«Peanuts»*, migalhas no orçamento familiar: *«It doesn't matter. My husband earns so much.»* (Não importa. O meu marido ganha tanto.)

[25] Dinheiro pela pia abaixo.

Semanalmente, uma carrinha distribuía à porta da sua casa caixotes de fruta e legumes orgânicos, muito populares no Norte de Londres. (Sabe--se agora que os produtos orgânicos foram dos primeiros a ser sacrificados na poupança familiar.) Ia esquiar à Suíça e mergulhar às Maldivas. Mas este ano, por mim inquirida, responde que vai apenas descer até à costa (*«We are only going down to the coast, to Cornwall.»*) Cornwall, sei-o pela minha cabeleireira, tem os hotéis e até os parques de campismo lotados pelos *brits* que decidiram cortar no custo das férias. Estas são as últimas férias de Louise antes de emigrar para Hong Kong, onde o marido assegurou oportunamente, junto de um banco, um salário semelhante ao que ganhava no banco de Londres, de que foi despedido. Um rendimento que permitirá ao agregado continuar a pagar os empréstimos de duas habitações que compraram em Londres e manter o nível de vida a que se acostumaram. O pulo para Honkas, como aqui lhe chamam, foi esgalhado logo no princípio do ano, mal se vislumbraram os problemas com o Northern Rock que culminaram com a sua nacionalização, a que se seguiram despedimentos em bancos como Bear Sterns, Bank of America, Citigroup e Merril Lynch, muitos dos quais cortaram entre 12% e 15% do pessoal.

O Extremo Oriente é a região do mundo para a qual os ocidentais ligados à banca ainda se podem escapulir a tempo de assegurar junto das filiais dos bancos europeus que operam na China, Vietname ou Japão, uma próspera carreira bancária, carreira que no Ocidente parece ter entrado em declínio. É que as filiais dos bancos ocidentais ainda não confiam nos orientais para desempenharem estes trabalhos financeiros, para os quais preferem munir-se de ingleses, alemães ou americanos. É o último reduto de qualquer ambicioso carreirista bancário, agora que o cenário esmoreceu no Ocidente e levará o seu tempo a recuperar: emigrar para o Extremo Oriente. E foi isso que fez este jovem casal. Aceitou o emprego em Honkas mas, ainda antes da partida, tentou não ter de emigrar. Seguiram-se várias entrevistas em bancos da City. Infrutíferas, pois a oferta anda em baixo. E vão mesmo emigrar por um período experimental de três anos.

Louise frisa que não está preocupada por não gozar praia a sério este ano. *«I am not concerned»*, diz-me (e eu sei logo que ela está preocupada), pois à sua espera em Hong Kong está um calor tropical, uma casa a quinze minutos da praia numa zona luxuosa, um apartamento com jardim, o que é ali raro, apetrechado com uma criada interna, tailandesa, o que é frequente. Não esconde que o banco só paga parte da renda deste luxo e que afinal os serviços de *childcare* em Hong Kong não são nada baratos, mais caros mesmo do que em Londres. As creches começam numa idade mais tardia do que no Reino Unido e, dados os dois anos idade da filha, não lhe resta senão a possibilidade de *playgroups,* ou seja, misturar a criancinha com outras num recinto, ficar lá a supervisionar os desastres e pagar 15 libras à hora pelo privilégio.

O que irá suceder aos outros cinco casais estrangeiros que vivem em Highbury Fields, aterrados nesta cidade por razões laborais? Dois são italianos, outro é húngaro-alemão e os últimos dois, australianos. Todos trabalham ou trabalhavam na City, onde duas das mães já perderam os empregos.

O regresso ao país de origem é agora uma carta mais fácil de ser lançada pelas mães estrangeiras, mas isso só se verificará, primeiro, se um salário único não sustentar a família em Londres, segundo, se os respectivos países lhes oferecerem um emprego ou, na sua falta, um qualquer álibi para regressar, salvando a face. Ninguém quer regressar a casa vencido. Os filhos serão sempre uma boa desculpa. Criar filhos num país estrangeiro, sem família por perto, envolve necessariamente mais custos, desgaste, ansiedade.

Louise dá uma festa pouco antes de partir. Casa cheia, grades de cerveja e garrafas, ao estilo inglês. Num dos cantos da casa acantonam os bancários que contam como os tempos áureos dos bancos, as chorudas gratificações, os bónus da City e de Wall Street, pela primeira vez denunciados como tóxicos a um desenvolvimento sustentado, estão em suspenso. Os *highfligths,* à letra «altos voos» dos bancos, fizeram fortunas à conta da venda de produtos de alto risco como os *hedge funds,* produtos financeiros criativos e esotéricos, débitos obrigacionais colaterais como *auction-rate securities* ou *credit default swaps.* Passo uma boa hora no grupo dos bancários e dou-as por perdidas. Afasto-me atordoada, sem conseguir entender depois de tantas explicações o que é um *hedge fund,* a não ser que é um pacote complexo, repleto de débito malparado, umas migalhas de crédito e que quando a crise do crédito explodiu ninguém conseguia avaliar a extensão do prejuízo, a aumentar de dia para dia. Mudo-me, então, para o grupo dos pais. Ouço as reportagens das férias de chuva em Cornwall, um destino revelador do apertar de cinto. E o modo como o partido conservador prognostica que a crise trará um inevitável regresso aos valores conservadores. Austeridade. Tradição. O sonho de resgatar a *Old England,* sucumbida, estrebuchante, às mãos de Blair. Blair fez mais do que usar as palavras «*Cool Britannia*» (Britannia descontraída) a glosar a famosa «*Rule Britannia*». Blair aligeirou a herança de controlo emocional e material de um povo. Não esqueçamos que os «*stiff upper lip gentlemen*» só desapareceram há vinte anos. E Blair representou a abertura de portas ao pós-modernismo, antes disso a tradição e a austeridade vedaram-lhe a entrada que tivera noutros países como Alemanha e França.

Afasto-me daquele grupo, no qual também não me encaixo. Tenho com os valores conservadores uma relação ambígua. Não suportaria ter imigrado para este país há cinquenta anos. Frio, chuva, *fog,* culinária ruim sem paladar nem sofisticação, gente que não trai qualquer emoção, como o George de *A Gente de Smiley.* Recomendo esta produção da BBC que adapta o romance de John Le Carré para entrar no espírito da *Old England, Old London.* George, magnificamente interpretado por Alec Guinness, filmado numa Londres de cabines telefónicas encarnadas, chapéus de coco, gabardines, *Routemasters,* e tantas mais coisas que perderam o uso que tinham, é um espião da Guerra Fria, detentor de um controlo emocional quase monástico. Directo quando precisa de o ser, evasivo quando não quer falar. Admira-se a força interior, a honestidade, a capacidade de trabalho, e há algo mesmo de pungente na sua solidão inexpugnável, mas o homem é de ferro e faz os outros sentirem-se fracos e tolos.

Na minha relação ambígua com o conservadorismo, acredito, por exemplo, que a grandeza deste povo se deve à insularidade, ao mar, aos almirantes (Nelson, Blake, Drake, Hawke, Duncan, Raleigh), a corsários e piratas, à participação activa em duas Guerras Mundiais, à reconstrução de um país dos escombros, à torrencialidade, ao *fog* desta ilha, numa palavra, dificuldades que já cá não estão, rijeza que afrouxou.

Essa relação ambígua traduz-se, por exemplo, em excluir a hipótese de enviar o meu filho para uma *boarding school,* mas acreditar em educações disciplinadas, austeras, a cargo das Igrejas Católica e Anglicana. Acredito ainda que algo se perderia do multiculturalismo e liberdade reinantes, se os conservadores conquistassem o poder. Por alguma razão me sinto bem aqui, no Norte de Londres, em Highbury Fields, à sombra de árvores gratuitas, longe de condomínios privados, por entre o chilreio de mães com turbantes, véus e *chador* e das mais faladoras classes trabalhadoras, *the «chattering classes».*

Agosto, 2008

A mulher-a-dias do prédio em que vivo é uma portuguesa da ilha da Madeira. Descobri-o há pouco. Cumprimentei-a na entrada e ela perguntou-me se eu era espanhola. Esclareci-a das minhas origens e passámos logo ao cavaqueio em português. Já não me queria largar e contou-me a sua vida. O tom resvalou naturalmente para o sofrido. O marido largou-a há três anos, no mesmo ano em que perdeu também mãe e pai, e é tão difícil criar dois adolescentes sozinha em Londres, há quinze anos, sem família por perto.

Não podia ter tocado numa corda que me fosse mais sensível. Não sabia, mas estava precisada de um bom choradinho, de sentir gente da mesma matéria do que eu. Hábitos que não se perdem com facilidade. Prometeu-me logo que para a semana me tocava à porta para ver o meu menino tão lindo, tão esperto. E à despedida, em tom envergonhado, esclareceu-me que vai de dois em dois anos à Madeira mas que este ano «não dá» e como está tudo difícil aqui, em Portugal, na Madeira, por esta ordem crescente.

A seguir chegou a minha mulher-a-dias *(cleaner)*, Olga. É polaca, na sua terra não arranjou emprego na área da licenciatura em Relações Públicas, e através dela tenho acesso ao mundo da imigração polaca em Londres. Olga informa-me que, com a crise, muitos polacos estão a regressar a casa, à semelhança do que está a acontecer em Portugal com os ucranianos. O número de polacos no UK chegou a atingir o milhão. Os polacos entraram às centenas de milhares no Reino Unido nos últi-

112

mos cinco anos; qualificados académica ou tecnicamente colmataram as necessidades da construção civil, carpintaria, pintura, trabalhos de decoração e limpeza, canalização. A canalização é aqui serviço de frequente solicitação pois o Tamisa, rio que serve a cidade, exploração a cargo da Thames Water, é pródigo em areia que entope com regularidade os esquentadores. Também eu recorri a um canalizador polaco que fez questão de mencionar como a sua imigração ocorreu nos anos 80 para se distinguir do surto migratório que se seguiu à adesão da Polónia à União Europeia em 2004, o qual vivamente desdenha.

Os salários melhoraram ligeiramente na Polónia, onde ainda há bem pouco tempo a inflação impedia um nível condigno de sobrevivência. Tudo era caríssimo e o desemprego grassava. O cenário melhorou por lá, mais emprego, moeda mais forte. Piorou por cá, mais inflação e desemprego, sobretudo na construção civil que terá que esperar pelos Jogos Olímpicos de 2012 para conhecer melhores dias. Muitos já se decidiram a voltar a casa ou estão a pensar nisso. Pergunto a Olga quais os seus planos. Responde-me que ainda é cedo. Segundo ela, é difícil a readaptação e é frequente a depressão, no pós-regresso. Depois há um curioso passatempo, ao qual consagra dois dias por semana, que a prende a esta terra. Dançar danças indianas de Bollywood após visionar a professora virtual, em cassetes audiovisuais. As aulas são em Central London no Pinneaple Dance Studios, um misto de posições de ioga e de estremecimento de ombros, ao som de consagrados *hits* de românticos filmes de Bollywood, como *Salaam-E-Ishq: A Tribute to Love,* uma adaptação indiana de *Love Actually.* Uma vez convidou-me a assistir e eu fui. A professora virtual tinha sido substituída por uma de carne e osso, de nome Vandana. Uma estridente voz de actriz-cantora de Bollywood entoava no áudio «*My heart gets wounded by the sound of your anklet*» (O meu coração fica ferido ao som do teu calcanhar) e, num esforço para se fazer ouvir, Vandana, a professora, incentivava as alunas: «*I want to see divas*» (Quero ver divas) e «*Big cheese*» (Sorriam). Olga ria, dois olhos azuis numa tez morena que não fica aquém das beldades da maior produtora cinematográfica indiana e ria depois quando lhe disse no fim que não estava nada mal pensado como futuro profissional.

Despeço-me de Olga. Desço à rua. O Verão continua ruim, chove o que não choveu no Inverno. Que ideia peregrina ficar por aqui em Agosto! É verdade que se goza de uma maior tranquilidade na cidade. Menos londrinos, menos carros ou bicicletas surgidas inesperadamente atrás de um autocarro, mais lugares no metro, nos *pubs,* em restaurantes. Mas que fazer em dias de chuva, um filho pequeno para entreter, grupos e actividades comunitárias de férias? Já Chamberlain dizia que Londres é a melhor cidade do mundo quando se possui casa de fim-de--semana.

Dou uma rápida vista de olhos no *Daily Telegraph,* depois de outros olhos se terem afastado. A leitura fica completa na primeira página. As notícias não são boas. Mais turbilhão no mercado accionista, vinte anos, dizem, até que o mercado imobiliário recupere novamente, uma crise que comparam ao início dos anos 80 e 90.

Passo pela Euphorium para comprar pão e sei pelos empregados que o patrão anda nervoso. De férias em Miami, telefona diariamente ao *manager* para escrutinar o valor das vendas e insistir em que os empregados se grudem ao balcão: *«You have to stay in the counter.»* E, quando regressar de vez de férias, dizem-me, o patrão vai mudar-se para uma casa bem perto da padaria para ter os empregados debaixo de olho. Ainda no início do ano passado, ele se afanava a aumentar o preço de pão e bolos, duas tabelas de preços diferenciavam o consumo interno *(take in)* do externo *(take out).* Fez bem, pois este ano não pode repercutir o aumento dos preços da farinha, açúcar, ovos, manteiga, em novo aumento para os clientes. Terá de adiar por tempo indeterminado o projecto de venda célere da marca Euphorium, e «driblar» os bancos que lhe facilitaram o crédito para máquinas, equipamento, obras, quando o lucro tilintava pelas lojas de Hampstead, Belsize Park, Holloway Road, White Chapel e Angel.

No *Buggens,* ao fim do dia, seriam umas sete e meia, a fazer compras com tantos executivos que saíram da City, sinto o medo das pessoas.

O medo do que aí vem. Do que ainda está para vir. O medo é matéria contagiante para a qual raros estão imunizados. Mas o que está para vir, apesar de tantos cenários retocados, ninguém sabe realmente. O que sabem em concreto é que não vão receber bónus este ano ou que os bónus dos rapazes da City vão ser cortados para metade. Sabem que é tempo de abocanhar o emprego que têm e desistir de trocas e voos de ninho.

Muitos fizeram apostas altas, a contar beneficiar de uma prosperidade que nem nos piores pesadelos sonhavam que chegasse ao fim. Os piores pesadelos nunca foram o desemprego, a inflação, o rombo no preço das casas, o bem de maior investimento, sacrifício de toda uma vida. Nunca foram a ameaça de *negative equity*, à letra, equidade negativa, ou seja, andar a pagar um empréstimo bancário por uma casa que vale menos no mercado do que o valor desembolsado. Os piores pesadelos eram: não conseguir uma determinada casa, decidir-se por uma casa de férias em Ibiza ou na costa francesa, conseguir uma vaga para os miúdos no colégio X.

Ainda há um ano, a classe média londrina vivia descuidadamente com o provento do seu trabalho, bónus e comissões e, muito importante, uma libra forte que tornava baratos os países do Sul da Europa onde tostavam ao sol. Quem se ressentia da libra forte era o mercado imobiliário *overseas*. As propriedades nas imediações dos aeroportos que serviam as companhias de baixo custo, Monarch Airlines, EasyJet, Ryanair. Ainda me lembro da malquerença de um jornal em Montpellier contra os *brits* que compravam casa e inflacionavam os preços na Île du Roi.

Estimulada pelo apelo à poupança, marco uma entrevista no meu banco, o Lloyds TSB, para saber do estado das nossas finanças, cautelas, investimentos, enfim, pequenas manobras que nos possam favorecer, sabendo que o grosso do dinheiro ainda é para fazer face ao empréstimo e ao custo de vida galopante.

Entusiasmara-me uma leitura no FT que prometia taxas de 7% nos depósitos a prazo no Nationwide e Abbey e 10% no Halifax. Há muito que o dinheiro a prazo não rendia tanto. O Lloyds esclarece-me que essas são manobras de bancos que ficaram em maus lençóis com o *credit crunch,* bancos que precisam desesperadamente de dinheiro. Com esta resposta já sabem que vou preferir continuar no banco à prova de falência, ainda que receba menos pelos investimentos a prazo.

Mas deixem-me que apresente a cara do Lloyds, mais uma destas caras que rodam a grande velocidade e que provavelmente não veremos uma segunda vez. Pois as que conhecêramos noutras incursões já tinham voado para outra filial. Uma mulher na casa dos trinta, idade média de um bancário londrino. O discurso desta gestora financeira, *finantial manager* de acordo com o seu *business card,* estava preparado para puxar a fundo pelos nossos medos. Objectivo: vender-nos seguros, produtos que, segundo sabemos pelos jornais, estão em apuros financeiros, pois não se vendem. A nossa gestora queria vender-nos esses seguros e naturalmente receber a generosa comissão que o banco aufere pela venda dos mesmos: seguros de vida, saúde, protecção em caso de desemprego, viuvez, incapacidade de pagar o empréstimo, em suma, os mais variados tipo de seguros que só este país engendrou. Pois até a minha vizinha de baixo, Fiona, paga um seguro pelo anel de noivado e aliança de casamento, de 70 libras por ano. E quando quis proceder ao cancelamento, pois apercebeu-se de que já tinha pago em quatro anos de seguro o dobro do preço originariamente desembolsado, amedrontaram-na tanto que a demoveram do intento. A nossa gestora é do mesmo calibre. Virando-se para nós, pergunta: Já têm seguro de vida?

Titubeando, respondo-lhe um «não sei» indefeso, que a põe no ringue para uns quantos socos.

E, se o seu marido morrer, o que lhe vai acontecer? Vai acabar a trabalhar nas caixas do Tesco (supermercado barateiro)?

Fico *knocked-out,* arrumada a um canto, enquanto a ouço avançar para o meu marido: E, se a sua mulher morrer, tem como assegurar o pagamento de uma creche?

Convencer-nos à redacção de um testamento, pagando novamente elevada comissão bancária, também constava da agenda de ataque. Este país tem elevadas taxas de imposto sucessório, a partir de um certo limiar, na casa dos 40%. É importante prevenir, em caso de morte, o destino das contas bancárias, da casa hipotecada pelo empréstimo bancário e outros assuntos maiores como quem fica encarregado de criar os filhos, imagine que não quer que seja a família do seu marido! São poucas linhas, tranquiliza-nos a «pugilista», apenas uns momentos de atenção e de reflexão ao que acontecerá depois da sua partida deste mundo, e depois fica feito, não há que pensar mais nisso. Qualquer coisa como tomar uma injecção, fazer uma biopsia, tomar um laxante. Tem de ser feito. Já passou. Como no fim, informados do custo, o meu marido deixou a questão em suspenso, rematou: «Vai adiar porque não é o seu problema. Se morrer sem testamento, o problema vai ser de quem fica, a sua mulher.»

Tanta ameaça caiu em saco roto. Uma má noite de sono foi o que ganhei, ainda menos simpatia por bancos e pessoal bancário e, afinal, a feliz descoberta de que, num país desburocrático como este, se pode comprar um modelo de testamento na Papelaria Ryman por apenas duas libras e levá-lo para casa para preencher. São dois ou três campos de preenchimento obrigatório: executores, herdeiros, doações; que não «roubam» mais de dez minutos a testadores abreviados, sem dispersões, exigindo-se apenas no momento da assinatura a presença de duas testemunhas, que podem ser até estranhos, pescados na rua para o efeito.

Uns dias mais tarde, ao recebermos a visita de um amigo despedido da Golden Sachs, fiquei a saber qual o produto que as seguradoras e os bancos retiraram do mercado: seguro contra a perda de emprego. Este nosso amigo tinha até ao ano passado, como qualquer trabalhador da City, um batalhão de seguradoras a rojar-se a seus pés, prontas a vender-lhe um seguro contra a perda de emprego que cobriria, caso o desemprego lhe batesse à porta, não só o salário como a prestação do empréstimo bancário, as propinas dos colégios dos miúdos, etc. Em má hora não comprou o dito seguro. Mas quem o podia prever, quem? Lamenta-se. Fizemos o testamento no dia seguinte e, tirando termos de antecipar se queríamos os restos mortais enterrados ou cremados, as únicas opções que aqui se praticam, não custou realmente nada.

Agosto 2008

Hoje sofri um revés. Andava contente pois descobri um café alternativo à Euphorium, bem mais perto de casa. Um café a imitar um *bistro* francês, até uma pequena campainha retine quando os fregueses entram. O patrão cumprimenta-os com um *«Bonjour, comment ça va?»* e despede-se com um *«Merci»*. A inimizade aos franceses está arrumada na gaveta desde que se tornou um símbolo de *status* ter casa de férias em França. Sento-me à mesa, uma única, de madeira, com dois bancos, corridos de lado a lado, mesmo ao lado de uma mãe com uma cria de três semanas ao peito. Sorvo um *caffe latte* com duas pedras de açúcar que tiro do açucareiro partilhado por toda a mesa e debico um *croissant* estaladiço, muito mais estaladiço do que o da Euphorium. Depois, uns minutos debruçada sobre o *The Guardian,* o jornal da casa, a tentar conter a comoção em relação às notícias da Geórgia ou a tentar segurar-me em relação ao sururu de casais jovens confortáveis na vida e na democracia, a comentarem a abertura dos Jogos Olímpicos e a espetarem o dedo na cara da China. Cheios de certezas, de *self-righteousness*. Esta palavra inglesa aterra silenciosamente na minha mesa. Procuro-a no dicionário. Está traduzida por hipocrisia, farisaísmo. Quando digo que estes casais estão cheios de *self-righteousness* quero dizer que eles acreditam ser os bons da fita.

Estou a pagar ao balcão e entram três robustos do Arsenal, na flamejante *T-shirt* «Fly Emirates». O estádio fica a uns passos, o jogo é à hora do almoço, mas eles estão com pressa. *«Mais pourquoi, messieurs?»*

(Mas porquê, senhores?), pergunta-lhes o dono. Porque depois do pequeno-almoço querem ser os primeiros a entrar no *pub* e baterem o último recorde de *pints* esvaziadas entre as onze e a uma da tarde, hora em que a bola começará a rolar meio turva no relvado. *«Ne faites pas ça. N'allez pas au pub, messieurs»,* diz-lhes o francês (Não façam isso. Não vão ao *pub,* senhores).

Até aqui, tudo bem. A seguir vou para a minha biblioteca local. Também uma grande descoberta, uma segunda casa para alguns dos sem-abrigo das redondezas, que em dias de chuva e de frio ali se entretêm a consultar os jornais do dia. Entrei agora em leituras sobre Mary Wollstonecraft e o feminismo no Reino Unido na época vitoriana e de computador aberto tiro apontamentos, pois já todos nos desabituámos de escrevinhar em papel. Fazia eu isto na maior boa-fé e vem uma empregada, na casa dos quarenta, bem inglesa, que me diz que estou proibida de usar o computador. Que de acordo com o regulamento o poderei fazer no último piso, um piso morto, onde na verdade terei de requisitar os livros antes de para lá os transportar. Tudo pouco prático. Mas não riposto e apago o computador. Não satisfeita, ela diz: *«And you were using our electricity, it's not nice, is it?»* (E esteve a usar a nossa electricidade, o que não é bonito, pois não?) Nessa altura o pasmo é tão grande que também não reajo. Sempre usei o computador sem problemas na British e na London Library e, se aqui há anúncios a proibir o uso de telemóveis, nada é anunciado quanto ao uso de computador. Ela vai-se embora e entretanto a minha indignação já cresceu, cresceu o meu sentimento de posse em relação a este lugar; se tiver de ir para o terceiro andar, vou deixar de aqui vir. Vou ao balcão e digo-lhe que quero falar com o superior dela porque, esclareço, quero continuar a poder usar esta sala, gosto de calor humano, melhor careço dele dada a minha reclusão doméstica, e o computador pô-lo-ei ao colo e não o ligarei à electricidade.

Ela ignora-me. Sem para mim virar a cara, atende outras pessoas ao balcão e anuncia à plateia, *«You were using our electricity»* (Esteve a usar a nossa electricidade).

Neste país as pessoas são muito conscienciosas dos seus deveres e exigentes no seu cumprimento, mas são também conscienciosas das boas maneiras, de não atingir a dignidade de cada um, de não humilhar publicamente os outros, de lhes salvar a face.

O culto que se faz da gentileza permite que exista um jardim de sensibilidade em cada um. Ora esta mulher tinha-me humilhado. É exacerbada a sensibilidade de uma imigrante no país de acolhimento e vieram-me à memória logo outras humilhações para agravar a pequena humilhação presente e Richard Rorter, um filósofo americano que advoga o desenvolvimento de uma sociedade liberal que liberte o indivíduo da dor da humilhação.

Depois de uma longa espera lá consegui aceder, a minha instância, a um colega sénior, não propriamente o superior. Expliquei-me: não sabia que estava em infracção, um erro desculpável, e apelei à flexibilidade do regulamento. Pediu-me desculpas pela colega, disse-me que não voltava a acontecer, que por favor não deixasse de frequentar a biblioteca por causa deste incidente, usasse o computador ao colo se assim o quisesse, ali na sala principal, e não no último piso, ofereceu-me um copo de água e deixou-me à vontade para preencher um formulário de reclamação, que não usei.

Enfim restituída ao que eu conhecia desta cultura: flexibilidade, boas maneiras, um *«sorry for that, I apologize for my colleague»* (desculpe, peço desculpa pela minha colega). Os pedidos de desculpa não são artificiais. Vêm do hábito de admitir a falibilidade humana, de não ousar escamotear factos, numa terra que não é de chico-espertos.

Vou contar mais um episódio elucidativo de outro comportamento atípico dentro da cultura inglesa, denunciável apenas quando se tem pleno conhecimento e a confiança nesse conhecimento. Os nossos vizinhos de baixo tinham uma criança que todos os dias nos acordava às seis da manhã. Nós ainda não tínhamos filhos e por isso a nossa compreensão e abertura como «pais sem filhos» era diminuta. Mas nunca abrimos sequer a boca para reclamar. Foram-se embora e vieram outros locatários sem crianças. O nosso filho já tinha nascido, chorou durante três noites porque lhe estavam a romper dentes, eles queixaram-se à proprietária. Ela veio e exigiu que puséssemos carpete no chão ou insonorizássemos o quarto do nosso filho. Consultámos informalmente um amigo advogado que nos tirou daí o sentido. A proprietária e os locatários desconheciam as regras deste país. A liberdade é aqui um valor sagrado e tem um larguíssimo espectro. Mais tarde, a inquilina arrependeu-se, veio em lágrimas pedir-nos desculpa, tinha-se excedido e sabia-o.

Fora de um núcleo de normas, a liberdade é um valor preservado a um nível inexcedível noutros países europeus, que explica, por exemplo, a relutância deste país à adopção do Bilhete de Identidade. Cada um diz, veste-se, penteia-se, emprega-se, desemprega-se, faz o que bem lhe apetece dentro da sua casa. Não digo o que seja irrazoável mas os barulhos de um bebé, podendo ser irrazoáveis, são compreensíveis. Cada qual pode até educar privadamente, em casa, os filhos do jeito que lhe apetece, sem currículos escolares até aos dezasseis anos de idade.

Queria deter-me nesse corolário de uma sociedade que preserva a liberdade acima de tudo. A educação em casa, a «home education». Não há neste país um dever de pôr os filhos na escola, e visto que o ensino estadual tem vindo a perder qualidade e o privado a encarecer, são já quase 50 000 as crianças educadas em casa. Estaremos próximos do que William Godwin, o pai do anarquismo, preconizara em 1797 em The Enquirer? Que o ensino autoritário devia ser erradicado e substituído por um esquema em que as crianças aprenderiam de acordo com os seus desejos, pelos seus meios e em paz, de modo a desenvolver uma mente crítica e um espírito independente.

Conheço um casal que tirou os dois filhos da escola. A mãe é professora primária, o pai, professor universitário. Acharam que os filhos não estavam prontos para iniciar uma educação formal, cuja ênfase no teste e nas notas gera enorme competição, pressão e ansiedade em toda a família. (Neste país a escola primária começa aos quatro, quatro anos e meio, e somam-se os exames. Em algumas escolas logo na admissão à escola primária, noutras o normal exame aos onze anos, de acesso à escola secundária, e depois os A-levels, de acesso à universidade). Em casa, os miúdos sentem-se em férias o tempo inteiro. Estudam o que lhes apetece, quando lhes apetece e passam muito tempo ao computador. A matemática (a adição, a multiplicação) é ensinada como parte da actividade de ir às compras no supermercado, em vez de divorciada da realidade.

Alguns amigos criticaram-nos, apontando que o guia de um *curriculum* escolar é vital para propor aprendizagens que podem escapar aos pais; que nem todo o processo de aprendizagem é agradável, mas muitas vezes repetitivo e penoso e que corriam o risco de criar nos filhos uma desvantagem social e educacional para o resto da vida. O papel dos pais não poderia ser a montante, mas a jusante, complementar, depois da escola, no sentido de despertar e aprofundar interesses.

Mas na verdade estes pais têm a ajudá-los um estudo recente do Instituto de Educação da Universidade de Londres que aponta como uma alternativa viável a educação informal até aos catorze anos. Esse estudo diz que os informalmente educados não têm dificuldade em entrar na educação formal e que é surpreendentemente eficiente o modo caótico e informal de conhecimento. Um corpo coerente de conhecimento pode ser formado e não produz crianças confusas. Tem mesmo a vantagem de não apresentar, como na escola, o «pacote» como algo certo e irrefutável e, sim, como um corpo de conhecimento dinâmico, contraditório, que obriga a julgar e a resolver as suas contradições.

Só para dar um exemplo extremo de duas culturas opostas, Inglaterra *versus* Alemanha, fiquei a saber recentemente pela BBC Rádio 4, num programa com o prometedor título *The Learning Curve*, como um casal alemão tentou praticar o ensino privado dos filhos em casa. Visto tal conduta constituir um crime para a lei alemã, punível com cadeia, os ditos alemães tiveram de fugir da Alemanha. Refugiaram-se na ilha de Wight para escaparem a um mandato de captura e a uma sentença que lhes retirava a custódia dos filhos. Entrevistados pela

BBC, referiam como no seu país o que conta é a hierarquia, a centralização e muito pouco o indivíduo e a sua liberdade.

Também eu já experimentei na pele estes contrastes culturais. British Airways *versus* Air Berlin. Duas companhias que uso com regularidade. Ambas têm um semelhante regulamento de proibição de embarque-desembarque com o carrinho de bebé, mas, enquanto os alemães são inflexíveis a aplicar o regulamento, os ingleses concedem-lhe desvios. Trocado por miúdos, a British Airways, ao contrário da Air Berlin, permite que o carrinho de bebé viaje com os pais, que os próprios recolhem mal aterram para não terem de percorrer dois quilómetros carregados com um bebé nos braços até à recolha de bagagem.

De resto, a flexibilidade e o pragmatismo são a tal ponto estimados que podem levar ao contorno de exigências legais. Tenho finalmente pleno alcance do que me foi ensinado em Introdução ao Estudo do Direito. No direito anglo-saxónico, a tradição, a jurisprudência, o *common-sense*, a sensatez de um povo, têm força de lei e podem ir *contra legem,* ou seja, depor leis desrazoáveis. Os tribunais podem reinterpretar e rever a lei, sem intervenção legislativa, adaptando-a à conjuntura e tendências política ou filosófica. Os tribunais escrutinam o espectro de incidência da lei, num processo de ajuste à realidade, de modo que, ao longo de uma década ou mais, uma lei pode mudar substancialmente. Assim, evitam que a lei tenha de ser interrompida e previnem os chamados efeitos disruptivos. Assim, também poupam dinheiro ao Estado e evitam o fraccionamento da sociedade. Em contraste, os sistemas continentais, de lei escrita, como o português, são mais demorados, só actuam quando uma situação é totalmente intolerável, logo, os efeitos disruptivos multiplicam-se.

No direito anglo-saxónico, a jurisdição assenta na *common law,* ou seja, confere um grande peso às decisões judiciais, e quase não se socorre do trabalho académico dos doutores de Direito. Por contraste, no sistema português, a jurisdição assenta na lei civil, o precedente judicial tem pouco peso e a doutrina, criada pelos doutores de Direito, um enorme peso.

Detenho-me aqui porque nesses dias distantes da Faculdade de Direito de Lisboa, a ouvir o Professor Marcelo Rebelo de Sousa, não me lembro de ter ouvido falar da incomparável superioridade da *common law* sobre os sistemas continentais, de lei escrita. A *common law* é o resultado de uma evolução natural dos costumes e tradição, equiparados a lei. Não foi imposta por um acto de vontade unilateral, por uma autoridade centrada num momento histórico particular. A *common law* evoluiu das raízes de uma sociedade e da sua história, como um assunto privado que respeitava a milhares de pessoas e que foi passando entre gerações.

E, voltando a casa ao fim do dia, o meu marido informa-me que na sua companhia foram admitidos mais uns quantos *go-fors,* a alcunha de estafetas. É assim que entram ao serviço da casa. Todos licenciados, prontos a desdobrarem-se por trabalhos inadiáveis. Pregar martelos nas paredes, mudar caixotes, arregaçar mangas. Em compensação, todos eles, mesmo estagiários, têm direito a um salário. Vou para a cama a pensar no que aconteceria em Portugal se os estagiários se recusassem a dar mais borlas. Estou certa de que muitas empresas teriam de fechar a porta.

Setembro 2008

Hoje passeio por Newington Green, a uns vinte minutos a pé de minha casa, e procuro sinais da vida de uma conhecida escritora desta terra, ligada ao Norte de Londres. Mary Wollstonecraft, a autora de *A Vindication of the Rights of Woman*. Numa outra vida, a.m., isto é, antes de ser mãe, uma década depois do sacrifício de uma licenciatura em Direito e de um périplo pouco estimulante pela função pública, fiz um mestrado em Literatura Comparada e escolhi duas autoras modernistas, Katherine Mansfield e Clarice Lispector. Na altura, a minha vida já decorria entre Lisboa e Londres e pensei que essas autoras me ajudariam a fazer a ponte entre o mundo lusófono e o mundo anglo-saxónico. Katherine Mansfield conduziu-me a outras vozes inglesas (As Brontë, Jane Austen, George Eliot e sobretudo Virginia Woolf), que por sua vez me conduziram às suas críticas literárias (autoras como Sandra Gilbert e Susan Gubar e a excelente obra *The Madwoman in the Attic*). E o que faz a crítica anglo-saxónica? Tenta escutar a história da experiência histórico-social repressiva da mulher.

Conquistou-me esse aspecto pragmático da crítica literária anglo-saxónica contraposto ao aspecto derridiano da francesa. A crítica feminista anglo-saxónica está apostada em conquistar uma igualdade ou equiparação político-económica de direitos entre os sexos, forçar a realidade com vista a mudar atitudes, enquanto a crítica feminista francesa procura explorar as diferenças anatómicas, a maternidade, o corpo e a psique da mulher, os quais permitiriam no plano literário criar uma «escrita feminina», *«écriture féminine»*, distinta da «escrita masculina».

O meu problema com as autoras francesas empenhadas na construção de uma escrita feminina, como Julia Kristeva, Hélène Cixous, que falam de uma pulsão do corpo, de sangue, líquidos e água para escrever, é que não as consigo ler até ao fim. Estão à procura de um estilo, de um cânone literário que não é o meu. Não obstante, acho aquele um esforço positivo e não há como desmentir que esse é o futuro, a gloriosa «diferença» entre os sexos. A «diferença», um luxo que se pode aprofundar aqui e agora, que alguma igualdade está conquistada e as mentalidades mudaram. Viável em países que, como o Reino Unido, não estão mal em matéria de igualdade. (Quem me dera ver em Portugal o que aqui vejo!) Graças, mil vezes, às gerações de mulheres que nos precederam, se sacrificaram para gozarmos de um bem-estar que nem notamos e, através dos seus erros e vidas, nos mostraram o que não precisamos de repetir.

Agora, que conquistámos o direito ao voto e a uma carreira, a licenças de maternidade e de paternidade, podemos voltar sem complexos, à força formativa da domesticidade e maternidade. Valorizar o trabalho das mulheres em casa como força formativa, e não negativa, que contribui para a mudança no estatuto público da mulher. «Podemos voltar ao lugar onde começámos e conhecê-lo pela primeira vez», usando as palavras de T. S. Eliot:

> *«We shall not cease from exploration*
> *And the end of all our exploration*
> *Will·be to arrive where we started*
> *And know the place for the first time.»*[26]

[26] Não cessaremos a nossa exploração / E o fim de toda a nossa exploração / Será chegar aonde começámos / E conhecer o lugar pela primeira vez.

Para o passeio de hoje levo comigo um pequeno opúsculo de Virginia Woolf[27] sobre outro génio literário, Mary Wollstonecraft. Virginia Woolf incentivava as mulheres a escreverem sobre a sua experiência, a partir da sua sensibilidade, acreditava numa forma feminina de captar o mundo, que ela própria usou, de modo a reescrevê-lo e a dotar as gerações vindouras desse registo. Um registo que vai direito à sensibilidade de uma leitora-mulher, aos factos que nenhuma escrita de homem iluminaria, a migalhas que nenhuma mão de homem ampliaria e como tal destinado a perder-se.

Ela acreditava também numa espécie de amizade autoral entre escritoras e encontrou em Mary Wollstonecraft alguém que explorava a sua sensibilidade e experiência pessoal para atingir alguma claridade neste mundo.

Levanto os olhos do artigo e olho à minha volta para melhor captar a área onde estou. Newington Green é bastante misturada racialmente. Passo conhecidos *pubs* de música rock e *blues*. E entro finalmente numa praça ao topo da qual está Belle Époque, mais um destes cafés tipo *bistro* francês, revestido a madeira, mesmo em frente de um pequeno jardim onde o meu filho se entretém a brincar. O café fica paredes-meias com a Igreja dissidente, unitária, não-conformista, fundada em 1708. Há trezentos anos, a comunidade dissidente progressista de Newington Green desejava conciliar razão e piedade e acreditava que do esforço humano poderia nascer uma sociedade mais justa e igualitária. A vida do casal William Godwin-Mary Wollstonecraft está ligada a este lugar. Mary Wollstonecraft, em 1784, abriu aqui uma escola destinada a raparigas. Pretendia conceder-lhes algo de que até então tinham sido privadas: uma educação. Já não na dependência, na docilidade e na lisonja do outro sexo, como Rousseau propunha em *Émile* (1762), mas a mesma que ele preconizara para rapazes, baseada na racionalidade, autonomia, viabilizando o acesso a uma profissão, dependendo de ninguém em questões financeiras.

---

[27] Virginia Woot, *The Common Reader, Second Series*, «Four Figures».

Tal como na família das Brontë, Wollstonecraft não recebeu educação superior e viu tal privilégio reservado a um irmão. As dificuldades que daí advieram não a destruíram, nem a emparedaram no sofrimento (*«Nothing calls forth the faculties so much as being obliged to struggle with the world»*[28]), permitiram antes que urdisse pedagogias surpreendentemente modernas, investida no papel de educadora, do qual, de certo modo, não mais se desviou. Propôs a co-educação dos sexos em escolas diurnas, métodos informais de conversação, muito exercício físico. Acreditava em crianças nutridas por mães inteligentes, e não recambiadas para amas, creches e colégios internos. Acreditava em pais amigos dos filhos em vez de tiranos, em suma, a amizade, a inteligência, legadas de uma geração a outra, pelo fenómeno da imitação, inato no desenvolvimento humano. Defendeu a amamentação, a dedicação, o empenho na educação filial, como meios de os pais nascerem para a paternidade, um processo que declarava não ser natural; mas algo decorrente tanto do instinto quanto do hábito. Tudo isto, sublinhe-se, ao arrepio do que então se praticava e pensava. As amas proliferavam a par de uma literatura de autoria feminina que enfatizava o sentimentalismo, a emotividade da ligação maternal. No seu estilo programático mas também flexível, pronto a conciliar inconciliáveis, defendia quer a firmeza educativa, quer a expressão do afecto, por constantes provas dadas aos mais pequenos, pois «é apenas na infância que a felicidade de um ser humano depende inteiramente dos outros – e amargurar esses anos com restrições desnecessárias é uma crueldade».

Apesar do sucesso, a escola naufragou quando Wollstonecraft a abandonou, um ano depois, para viajar ao encontro da sua melhor amiga, no leito de morte em Portugal, em consequência de um parto que viria a revelar-se fatal.

O círculo de Newington Green era composto pela Igreja unitarista, o seu centro, e por um grupo de intelectuais, liberais dissidentes racio-

---

[28] Nada apela tanto às faculdades como ser obrigado a lutar com o mundo.

nalistas, que advogavam uma vida austera e procuravam uma transformação social. Um grupo que Mary Wollstonecraft frequentou de 1782 a 1785 e que a ajudou a formar as suas visões radicais, apesar de nunca ter abraçado de coração a dissidência. Ali fez ela um famoso discurso condenando a escravatura.

Um grande cartaz dependurado da fachada da Igreja chama a minha atenção. Publicita a comemoração dos seus trezentos anos. Aproximo-me para colher mais alguma informação mas fico apenas a saber que gente racista, xenófoba ou homofóbica não é bem-vinda. Um dístico tão politicamente correcto sabe-me a pouco. São estes os dissidentes deste século?

William Godwin foi marido de Mary Wollstonecraft e pai de Mary Shelley, autora de *Frankenstein* (1818). Os três formam a primeira família literária inglesa. A união Wollstonecraft-Godwin, duas mentes radicais contemporâneas da Revolução Francesa (1789-1799) que viram como a voz das suas mais profundas convicções, ligou pela base as lutas pela liberdade do homem e da mulher. Godwin, conhecido pelo seu *Political Justice* (1793) e por ter contribuído para a primeira parte de *The Rights of Man* (1791), acreditou, como pai do anarquismo, que a perfeita liberdade erradicaria os vícios do homem e faria florescer os seus talentos e virtudes. Mary Wollstonecraft escreveu *A Vindication of the Rights of Woman* (1792) enquanto vivia a Revolução Francesa e o que preconiza é hoje tão verdadeiro que o que na altura foi visto como originalidade se tornou hoje senso comum. Volto à minha leitura de Virginia Woolf: «Ela [Mary Wollstonecraft] nunca soube o que era a felicidade e na sua ausência fabricou um credo para suportar a sórdida desdita da vida humana. Era alguém que como Virginia Woolf sublinha, punha como «primeira necessidade da mulher a independência, não a graça ou o charme, mas a energia, a coragem, o poder de efectivar a vontade». Essa a mais louvável ambição de qualquer ser humano, que Wollstonecraft desejava colocar ao alcance do seu sexo: formar um carácter, uma força e capacidade pensantes. Mulheres que não fossem meros objectos de desejo, infantilizadas, artificiais; que fossem respeitáveis membros da sociedade, com controlo sobre si mesmas, assim o disse numa memorável frase: «Eu não desejo que as mulheres tenham poder sobre os homens, mas sobre si mesmas.»

Era no entanto uma mulher disposta a rever as suas fortes teorias «– porque ela não era uma teórica pedante ou fria – algo nascia nela que a levava a pôr de lado as suas teorias e a forçava a formulá-las de novo». Uma das quais formulada no calor da Revolução Francesa: o amor deveria ser livre, o casamento não deveria prender, se o amor tivesse de morrer; cedo se deu conta de que contendia com um igual desejo de certeza, de segurança descoberto em si mesma: «Gosto da palavra afeição, escreveu, porque significa algo habitual.»

Tentou pois conciliar o direito a viver a sua própria vida – que incluía, como Virginia Woolf o disse mais tarde, o direito a um quarto que fosse seu – com a necessidade de afeição e estima. E sem negar a ansiedade que a maternidade lhe provocou, de uma das vezes ilicitamente, nunca negou o seu valor. Com Godwin construiu um modelo de vida em casas separadas e transformou-o num modelo de coabitação original – dois apartamentos debaixo do mesmo tecto – assim que se apercebeu de que: «Um marido é uma parte conveniente da mobília da casa.» Também para Godwin veio um *volte-face*. Casou-se com ela para evitar uma criança ilegítima, e os males do casamento, que como anarquista prognosticara, dissiparam-se com o cultivar das afeições domésticas. Para quem tinha advogado antes de se apaixonar por Mary o que hoje se chamam relações abertas e a abolição do sentido de posse que o casamento confere, veio a descoberta: «É extremamente gratificante que haja alguém que se interesse pela nossa felicidade.»

Ainda em Newington Green descubro que a sede da China Inland Mission fica na mesma praça da Igreja Dissidente de Godwin e Wollstonecraft. A China Inland Mission teve um importante papel na China entre 1870 e 1900, data em que foi expulsa da China. Solteiros ou casais, maioritariamente das classes trabalhadoras, abandonavam o Reino Unido para ir pregar, catequizar e converter os chineses do interior da China, aqueles que nunca tinham contactado com os ocidentais, perdidos nas regiões por onde não se aventuravam os homens de negócios ocidentais instalados em Xangai, Cantão e Pequim. Apesar de escassamente falarem o mandarim, os missionários da China Inland Mission, entre eles George Muller, criaram escolas e orfanatos para as muitas crianças abandonadas, nada que o Ocidente na altura desconhecesse. E contribuíram também para que as mulheres chinesas repensassem a prática ancestral de ligar os pés que as deixava deformadas e incapazes de andar. A missão tinha uma editora própria – a de Londres sediada em Newington Green, 16 – e publicava uma revista, a *China's Millions*, na qual dava conta das actividades que almejavam à conversão de milhões de chineses.

Termino o passeio folheando as páginas da *China's Millions* e admirando as fotografias a preto e branco que contam a história da maior missão protestante na China: as extraordinárias faces dos casais vitorianos abotoados até ao pescoço, prontos a embarcar com as suas numerosas famílias nessa cruzada por terras incógnitas onde muitos sucumbiriam de doença ou assassinados por camponeses chineses; 58 adultos e 21 crianças mortas durante a Revolução dos Boxers formaram os mártires da China de 1900. Prontos a envergar roupas chinesas, usar carrapito, misturar-se e viver com os locais. Andarilhos, caminhavam ao longo da China, chegavam às povoações famintas escolhidas precisamente por isso mesmo, por passarem fome, e os chineses vinham mirá-los, tocar-lhes as roupas, atirar pedras, acusá-los do azar que provocavam, convertê-los em bodes-expiatórios de calamidades causadas por anos de chuva ou seca.

Como um desses missionários conta: «Antes de regressar a Inglaterra para um período de descanso depois de onze anos na China, já tinha viajado 20 mil milhas. E Deus manteve-me são e salvo. A única coisa que alguma vez perdi foi uma toalha e um par de pauzinhos.»

Os ventos de abertura ao Ocidente não deram semente naquele solo, desfavorável ao germe do cristianismo. Depois da partida dos missionários, os chineses voltaram à sua religião e costumes ancestrais (entre eles o de ligar os pés, que seria abolido com o comunismo), à semelhança do que fez o Japão após a partida dos jesuítas.

O meu passeio continua hoje por Holloway Road, uma artéria do Norte de Londres, a uns passos de casa, que faz a ligação entre Islington a Highgate. Ouvi na BBC Rádio 4, a melhor rádio do planeta, um programa consagrado a Marie Stopes e vou no encalço da clínica que ela fundou, pioneira na divulgação de métodos contraceptivos e planeamento familiar no Reino Unido.

O aspecto não desmente, Holloway foi e continua a ser zona residencial de uma classe trabalhadora pobre. Tenho pela frente uns vinte minutos a pé, vou passando cadeias de lojas de supermercado, sendo a mais famosa Waitrose, cadeias de conveniência, Argos, um antigo cinema Odeon, um antigo teatro convertido em *pub,* até encontrar Malborough Road e o que resta da primeira clínica de divulgação de métodos contraceptivos e de planeamento familiar no Reino Unido, The Mother's Clinic, criada, segundo me informa o dístico, em 1921 por Dr. Marie Stopes.

Esta clínica foi sem dúvida provocadora, obscena, um escândalo para a moralidade dos anos 20. Mas quem se ressentia dessa moralidade púdica? As classes altas não se ressentiam tanto quanto as classes trabalhadoras da falta de informação quanto a métodos contraceptivos. Stopes quis modificar essa injustiça social. A clínica abriu numa área residencial pobre e assim continuou ao longo das sucessivas deslocalizações. Se o seu foco eram as mães depauperadas por múltiplas gravidezes indesejadas, o seu moto *«Babies in the right place»* (Bebés no lugar certo) abrangia também um trabalho pró-conceptivo, em prol de casais que não conseguiam ter filhos. Nos anos 20, uma mulher podia facilmente ter treze gravidezes e perder ou abortar cinco dos filhos. Ignorava-se o que é hoje claro: existir uma correlação entre um número elevado de gravidezes e o risco de abortar ou de dar à luz filhos que não sobrevivem à primeira infância. As cartas de mães que recebeu e a experiência na clínica demonstravam que uma mãe não conserva apenas a memória dos filhos que perdeu na infância; eram por exemplo frequentes as mortes neonatais dos bebés sifilíticos nascidos de pais sifilíticos. Uma mãe não apaga nenhuma das gravidezes que carregou e perdeu.

Na sua luta pelo controlo da natalidade, a maior oponente de Stopes foi a Igreja, que se opunha à diferenciação entre o prazer sexual e a função reprodutiva, acusada de fomentar a imoralidade, a luxúria, o egoísmo e a perda de autodomínio, numa palavra, o pecado. Mas também alguns médicos advertiram que o controle da natalidade conduziria à esterilidade e à doença. E em geral a sociedade considerava o controlo da natalidade uma desgraça (as classes possidentes temiam que o decréscimo da natalidade das classes trabalhadoras arruinasse o comércio, a economia, o império).

A Dr.ª Marie Stopes, que não abdicou do seu apelido mesmo depois de casada, escreveu vários livros. No seu primeiro livro-bomba, *Married Love*, publicado em 1918, defende o direito das mulheres a gozarem e valorizarem a experiência sexual numa altura em que a sociedade rodeava o sexo de silêncio. A ignorância, o medo de múltiplas gravidezes, a vergonha, a repugnância, faziam com que muitas mulheres desconhecessem que o sexo podia ser uma experiência positiva.

Married Love persegue um ideal romântico do casamento e só *en passant* alude ao controle de natalidade. A felicidade de ambos os sexos dentro do casamento requeria segundo Stopes o conhecimento da anatomia de ambos os sexos: «Nunca é fácil tornar o casamento uma coisa afectuosa, e é uma conquista que está para além das capacidades dos egoístas ou dos mentalmente cobardes. O conhecimento é necessário e, tal como as coisas estão actualmente, é praticamente inalcançável para os que mais dele precisam.»

Depois do sucesso de *Married Love* veio *Wise Parenthood,* 1918, esse, sim, um guia contraceptivo que irritou as Igrejas católica e anglicana e esteve na origem de um longo contencioso judiciário entre Stopes e a Igreja. Seguiu-se *Letter to Working Mothers,* de 1919, que revela já o que seria o seu principal enfoque, as classes trabalhadoras, e finalmente *Mother England, 1929,* a colecção das cartas que ao longo de anos recebeu das mães inglesas.

Encontro finalmente uma placa verde, bem legível, no número 61 de Malborough Road, uma transversal de Holloway Road. A casa histórica onde a Dr.ª Marie Sopes abriu a Mother's Clinic fica ainda numa zona residencial bem *working class,* casas vitorianas ligeiramente degradadas, resguardadas da barulhenta e fervilhante Holloway Road. Esta é a clínica ligada à fase de intervenção social da vida de Stopes, uma vida de grande fôlego. Em pequena, Stopes teria profetizado o que seria a sua vida – vinte anos ao serviço da ciência, outros vinte ao serviço de obras sociais, os últimos vinte ao serviço da poesia. Numa fase mais jovem, ela fora um dos mais jovens ingleses a deterem um doutoramento em Botânica em Munique, sobre fósseis de plantas, investigação que a conduziu ao Japão. Numa fase mais tardia, devotou-se à poesia, tendo enviado a Hitler antes do começo da Segunda Guerra Mundial uma cópia do seu livro *Love Songs for Young Lovers* (1938), com uma dedicatória aos jovens enamorados e casais alemães, na qual afirmava ser o amor a força mais poderosa deste mundo. Um gesto que, a par das suas tendências eugénicas (advogou, por exemplo, a vasectomia de homens mais fracos, proibiu o filho de casar com uma mulher vesga), não lhe seria perdoado. Aqui ficam alguns dos poemas que, mais uma vez, revelavam a sua natureza idealista e romântica, em busca da graça do amor *(love's grace)* que não alcançou:

> *In the rich world are many lovely things*
> *That each to each separate treasure brings;*
> *But only one thing there is*
> *That all at once can do all this—*

> *It is*
> *The long, deep, flesh-enfolded lover's Kiss*[29].

A apologia da incandescência jorrava do seu forte carácter para o seu punho:

> *Remembered joy has radiance*
> *So give joy today*
> *That in the future infinitely far away*
> *We may look back*
> *To the bright flash of iridescent wings*
> *On all the things*
> *We say*
> *Today*[30].

Em «A Man's Dream» profetiza o que seria o seu fim:

> *I dream—*
> *Somewhere soft arms are waiting*
> *For me with outstretched hands,*
> *To draw to warmth and shelter*
> *My cold and weary head.*
> *Yet I fear thou art no woman*
> *But a wraith within my bed*
> *For I know of no one living*
> *Who will care when I am dead*[31].

---

[29] No mundo tão rico, há muitas coisas amorosas / Cada uma por si traz um tesouro independente / Mas existe apenas uma coisa / Que de uma só vez pode fazer tudo isto / É / O longo, profundo, envolvente beijo carnal do amante.

[30] A lembrança da alegria irradia / Por isso, dá alegria hoje / Para que no futuro infinitamente longínquo / Possamos olhar para trás / Para a luminosa chama de asas iridescentes / Em todas as coisas / Digamos / Hoje.

[31] Eu sonho / Algures suaves braços esperam / Por mim com mãos estendidas / Para atrair aquecer e abrigar / a minha fria e fatigada cabeça. / Porém, eu temo que não exista nenhuma mulher / Senão um espectro na minha cama / Pois eu não sei de ninguém vivo / Que se importe quando eu estiver morta.

A controvérsia que marcou a sua vida ressuscitou com a cunhagem que o Royal Mail fez da face de Marie Stopes nos selos de 50 pence, os destinados à Europa, sob proposta de um grupo de historiadoras. Lá foram mais uma vez desenterrar os ossos do eugenismo, o apelo de Stopes à esterilização dos menos capazes, o livro enviado a Hitler que não punha em causa o patriotismo de Stopes, manifesto na oferta que fez da sua casa ao Governo Britânico durante a guerra. O contexto histórico explica muito e as excentricidades de um génio também têm de ser atendidas. Após a Primeira Guerra Mundial e com um número significativo de homens fisicamente incapazes, a eugenia era uma convicção largamente espalhada. Stopes ajudou as mulheres a desenvolverem uma carreira e a gratidão não olha a minudências.

The City in Crisis

(Outubro de 2008- Fevereiro de 2009)

Humpty Dumpty sat on a wall.
Humpty Dumpty had a great fall.
And all the king's horses and all the king's men,
Couldn't put Humpty together again[1].

---

[1] «Humpty Dumpty estava pousado numa parede. / Humpty Dumpty deu uma grande queda. / /E todos os cavalos do rei e todos os homens do rei, / Foram incapazes de consertar Humpty outra vez.» Humpty Dumpty é uma personagem da poesia infantil inglesa, geralmente representada como um ovo.

Outubro, 2008

Apenas dois momentos inolvidáveis para perpassar as minhas febris duas semanas de férias em Portugal. É assim quando se vive no estrangeiro. As férias não têm sabor a férias, pois desfilam uma longa agenda de obrigações familiares e sociais a serem cumpridas num apertado e galopante lapso de tempo.

O primeiro momento foi a missa no Convento dos Cardais, uma missa dominical a que o meu marido gosta de acorrer sempre que pisamos solo luso e que nos permite revisitar o local do nosso casamento. O antigo convento carmelita onde sobrevivem duas irmãs dominicanas, a irmã Augusta e a irmã Ana Maria, a braços com uma obra social para raparigas, é dos poucos locais mágicos que Lisboa conserva. É um lugar subtraído ao tempo, à lógica em que vivemos. À paleta de emoções e de sensibilidade que nos habituámos a cultivar. A missa não é celebrada na capela principal do convento – demasiado vasta para tão pequena assembleia: as raparigas da casa, uma vintena, e os intrusos que nós três somos –, mas numa pequena capela ao topo, onde em tempos passados as carmelitas, por detrás de janelas gradeadas, assistiam à missa aberta ao público. As raparigas vão entrando, de mãos dadas, amparando-se umas às outras. Duas ou três são cegas, outras têm dificuldades físicas e/ou mentais; uma, a Carolina, já com cinquenta anos, tem síndrome de Down. Não têm ninguém no mundo. São órfãs ou enjeitadas pela família ou parentes. Pularam de instituição em instituição de cada vez que atingiam o limite de idade para nelas poderem permanecer, até darem

139

entrada nos Cardais, onde finalmente ganharam lugar cativo vitalício e podem, se ainda o conseguirem, lançar uma âncora afectiva.

Estamos ali sentados nos últimos lugares dos bancos. Somos uma assistência rara e por isso somos contemplados com olhares, sorrisos, festas, abraços, afecto de corações carentes. Escutamos as suas vozes cantarem: a inocência tem uma razão. «Deixai vir a mim os inocentes.» Este lugar tem uma lógica que desafia a lógica que eu carrego, a lógica do mundo ao qual pertenço. O meu filho com dois anos, excepcionalmente quieto e silencioso no meu colo ao longo de sessenta minutos, também sabe que este lugar obriga ao respeito. Sou abanada, arrancada ao charco de lamúrias, preocupações, má consciência, e ainda só estou no limiar do mistério. Eu, que habito dentro da lógica do mundo, sua fazedora, e silencio muitas culpas; não há como negar. O mistério dos Cardais é o mistério da transformação. O trabalho que as irmãs fazem pelas raparigas e o modo como estas se entreajudam elevam as duas partes a uma dignidade que desafia o entendimento e o comportamento comuns. As raparigas não são mais débeis; são dignas e, por uma subtil inversão de posições, o visitante, que as observa, passa a ser o lado vulnerável, confrontado com a sua fraqueza, impotência, indignidade. Não é o sofrimento, não é a dor quem ali vence. Não é o incómodo, esse desconforto que mantém à distância outros visitantes, que me é tão familiar à vista de pedintes, sem-abrigo, doentes terminais. Nem é a comoção que submerge quem ali entra pela primeira vez. O sofrimento, o incómodo, a vergonha, a culpa, a comoção, deram lugar à paz. A paz e uma justa medida de felicidade são ali possíveis.

O segundo episódio veio na sequência do torção que dei num pé ainda em Londres antes de embarcar para Lisboa. Esperando que o mal sarasse por si, fui caminhando cada vez mais coxa na calçada de Lisboa. No último dia, mal me podendo arrastar e sem hipótese de encontrar um ortopedista, dei entrada num consultório de acupunctura muito famoso em Coimbra, para o qual também se arrastam todos os que estão a dois palmos da cova ou aqueles para os quais a medicina ocidental não oferece sequer o consolo de uma esperança.

Já ia alertada para a dolorosa conta que somaria a aplicação das agulhas pela mão do chinês, a exposição a um radiador e a massagem que se seguiria por parte dos assistentes. Ao meu lado, um homem dos seus trinta e tal anos, em mau estado evidente, aguardava. Aguardávamos o chinês que nos marcara a todos para a mesma hora e que se alongara, diziam os que já o conheciam, na sua sesta.

Assim que chegou, despachou-nos a todos num cisco de tempo. Parecia a chegada de um curandeiro da tribo. Cada paciente reclamava as suas dores, e o curandeiro, num português achinesado, passava a sentença em termos pouco técnicos. Ao meu vizinho foi diagnosticada uma deficiência de coração. A uma mulher de meia-idade que mal se mexia, uma osteoporose que já lhe carcomera as juntas dos ossos. O meu pé sofrera um sangramento interno e eu andava a caminhar em sangue pisado, daí as minhas dores. A drenagem do sangue pisado reclamaria acupunctura, dia sim, dia não, tratamento fora do meu alcance visto abandonar Portugal no dia seguinte. Ainda assim, podia-me curar. Besuntou-me o pé com uma pomada-pasta cor de chocolate, vinda especialmente da China, e a seguir enfaixou-o. Explicando estar em causa um incidente ocorrido há três semanas, exigiu-me que usasse a dita ligadura durante sete dias e que a mantivesse afastada da água do duche durante o mesmo intervalo de tempo. Se ao fim dos sete dias a pomada tivesse secado, o meu pé estaria curado.

— Sete dias? — reclamei, em tom queixoso, depois de a pomada já estar aplicada.

— Tem *qle* ser. Se não *quele*, só tenho pena da pomada que já *useile*.

Ao fim de três dias desenfaixei o pé, a pomada tinha secado e as minhas dores persistiam.

O chinês, vim depois a saber, acreditava piamente em espíritos, números azarentos, casas assombradas, e era mesmo um caçador de espíritos e fantasmas que expulsava pelos telhados depois de um bate-papo em que os convencia de que estavam mortos, algo muito necessário no caso de um antigo inquilino-espírito-fantasma que se recusasse a abandonar a casa onde vivera. A energia de que o chinês dispunha permitia-lhe dispensar as useiras velas ou campainhas, e guiava-o pela casa assombrada como no jogo do quente e frio; à medida que se aproximava do espírito-fantasma aqueciam as mãos, inchavam as amígdalas e, bingo!, dava de caras com o dito repimpado no sofá, na cama, no armário. Este médico do corpo e da alma tinha cura para todos os males. Sondando a morte dos meus familiares, também se ofereceu para me pôr em contacto com um deles através de um sistema de vídeo-conferência.

Um charlatão? Só posso dizer que no meu caso não dei por perdido o dinheiro. É verdade que, chegada a Londres, iniciei uma lenta e paciente fisioterapia. Mas através deste médico, licenciado pela Universidade de Pequim, cuja omnipotência não pestanejava perante as maiores adversidades, tive um breve contacto com a medicina oriental, com o espírito chinês, lá está, é importante saber, na China vendem-se remédios que prometem a cura da Sida.

A estadia em Portugal não teve o ressaibo nostálgico das outras visitas. Porquê esta mudança de percepção? É verdade que por vezes tombei na tristeza, na indignação e outra vez na tristeza, como se deu ao avistar a quantidade de prédios centenários, das Avenidas Novas à Avenida da Liberdade e à Baixa, condenados à demolição. Tantos prédios nos quais antes nem atentara ostentam, nos últimos dias de vida, uma beleza pungente. Tantas as fachadas a pedirem clemência contra o assassinato que está pronto a cometer-se! Escolho apenas uma que vejo diariamente. Uma fachada de azulejo na rua Duque de Palmela entaipada, janelas e portas a deixarem antever uma parede de tijolos interior, o passeio público já interdito, tudo a aguardar o descalabro, o proprietário a dois passos de vender o terreno do imóvel e as ruínas para demolição, os empreiteiros a dois passos de enxertar, na zona histórica de uma cidade europeia, mais um caixote do século XXI.

O que vai ser de Lisboa dentro de cinquenta anos? Após o acelerado desaparecimento do bonito, insubstituível, escasso, património onde lisboetas e estrangeiros arregalavam a vista? Não devia este centro histórico estar protegido, como o estão os centros históricos de Paris, Roma, Londres, Madrid, até de uma pequena cidade como Basileia, na Suíça?

Voltando a acordes mais alegres, o brinde de sol com que Lisboa me salvou dos banhos da chuva londrina de Agosto muito contribuiu para essa lente cor-de-rosa que me abriu à capital. O coração da cidade bombava no mesmo ritmo, sem pressas, sem arritmias. Os ânimos nem mais amedrontados ou desanimados do que em anos anteriores. Lisboa há muito que se habituou a conviver com a estagnação económica. Por comparação, em Londres e, ainda que os londrinos finjam e não se queixem, a crise teve uma repercussão estrondosa. O meu café habitual, a Euphorium Bakery, tem metade dos clientes, metade das prateleiras apinhadas de pão e bolos, metade dos empregados. Os londrinos emudeceram no seu próprio medo, mas os lisboetas não emudecem, os lisboetas há muito que estão imunizados e anestesiados. A vida continua. E, aparentemente, na mesma. A vida de café, a vida dos almoços de garfo e faca, uma certa ociosidade, passeatas em passo vagaroso, destinos de férias, de Natal e fim de ano, esgotados; os jogos da bola a fazerem parar o país. Os noticiários abrem com preocupações que afectam outros países: «Espanha e Reino Unido já estão em recessão.» Não Portugal, a vogar num plano alternativo de existência, de evasão da realidade, onde um jogo de futebol coroado de vitória é uma catarse colectiva. É aí que os portugueses em toda a sua sabedoria habitam.

Só agora, que tudo vai por água abaixo, é que vejo a sabedoria nacional. Os portugueses nunca embarcaram bem no barco do capitalismo, do socialismo ou do comunismo, venenos fatais à sua natureza anárquica, indomável. Natureza avessa quer à disciplina, hierarquia e centralização, quer, no extremo oposto, à iniciativa e ao risco. Tinham razão nas suas suspeitas. Razão em confiar nos instintos mais básicos. O capitalismo faliu nos Estados Unidos da América, no Reino Unido, e esse é um grande rombo na moral das hostes que acreditaram nos valores do mercado livre, da globalização, na racionalidade e autocorrecção dos mercados financeiros, não prevenindo os seus males e excessos. Mas não é rombo na moral dos portugueses. Não digo que vão escapar incólumes, mas hão-de sublimar melhor do que qualquer outro povo. Pois não compraram fórmulas importadas e sempre seguiram, lá no fundo, a mezinha caseira do que é importante na vida. Lazer, boa cozinha, sol, praia, outros bens que sejam gratuitos e aos quais temos que nos cingir nos tempos que estão para vir. Fiéis à anarquia em que cada qual é senhor do seu reino, mesmo que o reino ande a cair aos trambolhões, compram permissão para permanecer nas nuvens e nos castelos um pouco mais de tempo. E acordar um pouco mais tarde do que todos os outros países. Ou não acordar. Viver numa realidade alternativa parece a cada dia que passa a melhor opção. Ao telefone com Portugal, constato estupefacta como tudo corre dentro da normalidade numa segunda-feira negra que sangrou 70 biliões de libras no mercado de acções da City, um dia que encostou o governo de Brown à parede, exigindo-lhe uma actuação rápida, corajosa e eficaz – garantir a 100% as garantias dos súbditos da Coroa ou injectar mais liquidez nos bancos e tornar-se accionista maioritário de alguns deles?

Pergunto a um amigo em Portugal como é que o governo português está a actuar.

Ouço a extenuada versão de que os bancos portugueses, por artes mágicas, estão mais bem protegidos da crise do crédito. Então e o crédito malparado, as famílias e as companhias endividadas? Os fundos de pensões investidos no mercado accionista (no Reino Unido 100 mil pessoas que estavam prontas para se reformarem perderam um quinto da sua pensão)? O BPN (Banco Português de Negócios), o Montepio, o BCP (Banco Comercial Português), o BPP (Banco Privado Português) com falta de liquidez? A banca portuguesa dependente do financiamento e crédito externo? Os 200 milhões de euros com que a CGD (Caixa Geral de Depósitos), entesouradas as poupanças que os portugueses retiraram de outros bancos, foi acudir ao BPN?

Aqui em Londres o comportamento da CGD seria inadmissível. O Barclays andou desesperado a bater à porta de outros bancos a pedir empréstimo de dinheiro, por exemplo ao HSBC, um banco relativamente mais sólido para onde muitos ingleses transferiram as economias, e levou com a porta na cara. Primeiro os interesses dos clientes; não os interesses e pressões de bancos amigos.

Agora leio que o Governo português acorre ao fogo globalizado com um pacote de 20 mil milhões de euros, numa cópia mal feita do plano Brown, já que exige menos contrapartidas aos bancos refinanciados ou recapitalizados. Então e a tomada pública de acções preferenciais ou normais nos bancos recapitalizados? A exigência britânica de que os accionistas não recebam dividendos até que uma parte significativa do dinheiro dos contribuintes seja devolvida aos cofres do Estado? A redefinição da política de bónus dos bancos, de políticas fiscais, a obrigação de uma maior transparência das regras contabilísticas bancárias? Lançar as estacas para uma actividade financeira diferente, que olhe à sustentabilidade a longo prazo, que resista à pressão para gerar lucros a curto prazo, que financie negócios social e ambientalmente sustentáveis? Dá-se assim de borla num país pobre como o nosso e não se aproveita o momento para regulamentar as instituições financeiras num dos países da Europa que mais tem lucrado com a especulação do mercado accionista?

Uma das premissas que não foi nem é obnubilada no Reino Unido é que os bancos, por muito que esbracejem pretensões e façam braços-de-ferro, passaram a depender da boa vontade de governos e contribuintes. A seminacionalização a que se procedeu, semipermanente, no sentido de que o crédito que os contribuintes agora adiantaram aos bancos não será reavido por largos anos, permitiu estabelecer medidas que coagem os bancos a ajudar os contribuintes, as companhias e a economia real. Pretende-se igualmente que os administradores dos bancos ganhem outra visibilidade social, compreendam as ansiedades dos contribuintes e dos seus empregados, respeitem níveis de decência comum e certamente sejam menos bem pagos para fazerem mais.

Perguntam-me por e-mail: «Isso aí está assim tão mal como contas?» Devolvo: Talvez hiberne para Portugal este Inverno, o tempo aqui é aguaceiro e os ânimos pela primeira vez contagiantemente em baixo. Uns meses de permissão para continuar nas nuvens, por favor!

Outubro, 2008

Nestes dias eu e milhares de londrinos colamo-nos às notícias vinte e quatro horas por dia. Ao acordar, ao longo do dia, antes de nos irmos deitar. A crise tem aproveitado aos jornais. Puxam de títulos que não resisto a comprar, apesar de saber que bebi o grosso na página inicial. Ânsia, expectativa, medo, um ambivalente desejo de ora controlar acontecimentos velozes, ora fugir para Marte. Mas o que era notícia ontem perdeu actualidade no dia seguinte. Há uma semana o *Evening Standard* anunciava: «Banho de sangue na City. 2000 empregos cortados esta semana; mais cortes até ao Natal.» E comparava a crise à dos anos 70 e 80. Hoje as previsões de desemprego foram corrigidas para a casa dos 160 000, preparando-nos para um total de dois milhões até ao Natal. Tombam nesse poço sem fundo, de progressivas revisões em baixa, os índices de crescimento económico e produtividade, o preço do imobiliário, os lucros das empresas e as receitas do Estado. Só as cifras de desemprego mostram sentido inverso. A crise é comparada à dos anos 30, o seu impacto nos países desenvolvidos equiparado à queda do comunismo, ou talvez mesmo sem precedentes e incomparável.

Na banca dos jornais, a face exangue, insone, subitamente envelhecida, de Brown alterna entre o sorriso e a gravidade. Arremessando diferentes paliativos diários, não consegue suster a avalanche. Começou por aumentar a garantia das contas bancárias em Inglaterra, de 30 000 para 50 000 libras. Um passo insuficiente que lhe valeu a debandada de muitas libras de bancos ingleses para alguns bancos irlandeses, onde os depósitos foram assegurados a 100%. Após a nacionalização do Northern Rock e do B&B (Bradford and Bingley), avançou para uma injecção de capital em três grandes bancos (Royal Bank of Scotland, Lloyds TSB, HBOS) no valor de 37 biliões de libras. A medida que, no comentário jocoso do *The London Paper, «We're all bankers now...»*, nos converteu a todos em banqueiros, do dia para a noite, sem sermos tidos nem achados, em rastilho copiada por outros países, arrecadando só na União Europeia cerca de dois triliões de euros, não obrou o milagre. Um efeito dominó, a uma velocidade alucinante, abespinha o planeta. Dos Estados Unidos à Europa, China, Japão, Singapura, Coreia do Sul, Rússia e outras economias emergentes, naufragam bolsas, bancos e companhias, pilares das respectivas economias. Em casa, Brown tem à perna os accionistas dos bancos parcialmente nacionalizados, as acções preferenciais concedidas ao Estado obrigam-nos a largar mão por alguns anos dos ricos dividendos a que se acostumaram duas vezes por ano. Quanto aos executivos bancários do Lloyds TSB, que recebeu 6 biliões de libras em dinheiro de contribuintes, recusam-se a cortar nos bónus da casa, alegando que «fizeram um trabalho fantástico», o mesmo valendo para o Royal Bank of Scotland, contemplando com 20 biliões dos contribuintes, disposto a abrir a torneira a bónus discricionários de milhares de libras (£1.79bn). Brown pede às companhias petrolíferas, de gás e eléctricas para repercutirem a baixa de custos no consumidor; concerta descida de taxas de juro; congemina descida de impostos; corta o VAT de 17,5% para 15%, incita a China e os países do Golfo, ricos em petróleo, a apoiarem o FMI e a investirem no Reino Unido. Não é só a minha sensibilidade lusa que sente dó do P.M., ao leme de um barco condenado à tormenta. Os cabelos grisalhos de Brown, o seu súbito envelhecimento, infundem respeito no eleitorado inglês, para já indisputável, não obstante os arremedos da oposição. Mas respeito por quê? Brown pactuou com Blair, Brown conspirou para atirar borda fora Blair, Brown não estanca a hemorragia e endivida o tesouro público, Brown prova mais uma vez que em política a memória é curta e a traição, o licor da casa. E esta punição de Brown – ter de cercear o mal que deixou alastrar –

parece antes uma bênção, uma ajuda que lhe caiu do céu, pois o P.M. parecia destinado a uma curta vida política, não fosse a reviravolta dos acontecimentos. Não obstante, respeito. Pois a gravidade da situação torna desprezível qualquer retórica política e Brown avança com pragmatismo. Face à tormenta entretanto indomável – o barco na crista do vagalhão, aos pés o abismo – trabalhistas e conservadores deixam o capitão solitário ao leme. Ninguém se oferece como alternativa ou suplente. Há os que rezam pela salvação e gritam: respeito pelo herói; há os que aguardam o naufrágio e sussurram: chegou a nossa vez, deixem o barco atolar. A minha simpatia não é tanto por Brown quanto por Sarah, a sua discreta mulher, tanto mais agradável quanto Cherie era odienta. Sarah é discreta e eficaz. Em poucos meses conquistou a comunicação social que Cherie maltratou e saiu em defesa do marido quando todas as térmitas lhe caíram em cima, entre as mais esganadas, as do seu próprio partido, em particular o senhor Miliband.

A imprensa traz outras revelações a lume. Não é só Brown que se engana, contradita, é ultrapassado pelos acontecimentos, fabrica antídotos e antídotos de antídotos. No calor da maratona para o poder, Cameron e o seu número dois, Osborne, propuseram há dias o congelamento das taxas autárquicas como forma de aliviar o contribuinte inglês cujas contas mensais, ultrapassando o salário, lhe esfrangalham as poupanças. Resultado: metade dos líderes das autarquias locais, entre os quais alguns *tories,* saltaram das cadeiras, afiançando que isso implicaria cortes nos serviços que as autarquias proporcionam: casas, escolas, lixo. Mais uns dias e acordaríamos para a descoberta de que os serviços que as autarquias comparticipam serão mesmo reduzidos (por exemplo, rendas comparticipadas, creches comunitárias) pois que não poucas autarquias (Westminster, Kent, Harringey) investiram o dinheiro dos contribuintes, em gananciosos juros, acima dos 10%, nos bancos que faliram na Islândia. Polícia Metropolitana, Transportes de Londres, instituições de caridade, Universidades de Cambridge e de Oxford, tudo a arder em vários milhões de libras, à conta das irresistíveis taxas de juro islandesas. Aliás, a Islândia tinha no Reino Unido seis cadeias, entre as mais famosas a loja de brinquedos do Hammleys e as lojas de roupa House of Fraser e Karen Millen.

Preocupada com as poupanças familiares, telefono a um primo que trabalha na City. Ele também está inquieto com a previsão de corte de um terço dos trabalhadores da City que atingirá inevitavelmente o mercado de *hegde funds* e o seu, de *private equities.* A flexibilidade laboral deste país traduz-se na facilidade do despedimento. Sénior no banco onde trabalha há mais de dez anos, o meu primo tem um contrato renovável de três em três meses, e não de um em um, como os juniores da casa. Não quer isto dizer que estes bancários tenham de assinar contratos a cada mês/trimestre ou que sejam dispensados a breve trecho; significa apenas que a entidade patronal despede sem justificação maior, atribuindo todavia indemnizações chorudas, com base em anos e salários auferidos.

Pergunto-lhe: Olha lá, há perigo de o Barclays ir à penica? Diz-me que não acredita nisso. Mas à cautela avisa que também não acreditava que o Congresso fosse chumbar o primeiro plano Bush. Depois, põe-me a par do cenário que aí vem. Bancos nacionalizados em 50%, só uma dezena de bancos robustos continuarão privados, juros na casa dos 0%. «Mas não, não acredito que algum estado se possa permitir ficar a ver os bancos naufragarem e as pessoas perderem as suas poupanças. Saía tudo para a rua aos tiros.» Na hora da aflição, os governos nacionalizam, quer dizer, tomam conta da dívida que há-de ser repercutida em todos e em cada um dos contribuintes, através de impostos.

Inquiro-o quanto à colecta que Brown anda a fazer de nação em nação, em particular junto da China e países do Golfo ricos em petróleo. Responde que prefere um cenário no qual o Ocidente cunhe mais da sua própria moeda, e em consequência a desvalorize, a um Ocidente a ceder posições accionistas a países que desmantelariam o que nos custou tanto atingir no Ocidente: leis de protecção laboral.

Uns dias antes da agudização da crise bancária, David Cameron, o líder da oposição, numa fotografia repetida na banca dos jornais, em calções de *jogging*, exibia a sua boa condição física e ajeitava-se ao comentário: «Estou preparado para o poder.» Cameron enxotava as insinuações feitas pelos trabalhistas de «novato e inexperiente» com o exemplo de Thatcher, chamada a governar a Nação em tempos de instabilidade com 54 anos. Umas horas depois do seu *jogging*, dirigindo-se ao Congresso do seu partido, Cameron falava, de facto, ao país e prometia-nos ser o líder de que a crise precisava, dotado de «carácter e discernimento». Em resposta, uma plateia extasiada de conservadores ovacionava e reconhecia o herdeiro do thatcherismo, das grandes ideias da era Thatcher-Reagan. Fé no mercado, sua desregulamentação, expansão da propriedade privada (a venda de casas pelas autoridades locais, *council towns,* foi uma das políticas de assinatura de Thatcher), princípios que não só transformaram à época o clima intelectual como criaram uma nova ortodoxia.

Ironia das ironias, uns dias depois de Lady Thatcher estar na ordem do dia e de os *tories* puxarem desse pergaminho envergonhadamente amarfanhado na gaveta, tremia o sistema capitalista implementado nos anos de Thatcher, 1978-1990, tremiam os princípios da livre movimentação do capital, do mercado livre dos serviços financeiros, bancos, seguros e investimento, tudo o que mudara verdadeiramente o rosto deste país. Desequilibrava-se a City, uma criação de Thatcher, o maior e mais bem-sucedido centro financeiro europeu que acolhera instituições financeiras de todo o mundo, central na expansão económica gozada por este país nos últimos quinze anos. Era questionado o neoliberalismo confiante na «mão invisível» de Adam Smith que os trabalhistas, directos beneficiários, não procuraram corrigir. Durante os onze anos de governo trabalhista, as maiores fortunas do Reino Unido quadruplicaram, nelas se incluindo os milionários e bilionários estrangeiros aqui domiciliados por razões fiscais (por exemplo, o magnata do aço Lakshmi Mittal, o sexto homem mais rico do planeta, e os russos Roman Abramovich, dono do Chelsea Football Club, e Alisher Usmanov, com interesses em minas, aço, *media* e bancos e o maior accionista do Arsenal Football Club). Para estes, ter um amigável governo trabalhista foi quase melhor do que ter um governo conservador, como se ouviu dizer: «*Having a friendly Labour government has almost been better than having a Tory one.*»

Só para sopesar bem como as palavras dos políticos correm a reboque dos factos em tempos turbulentos como os nossos, recordemos um pouco mais desse último congresso conservador. A apologia nele feita da renovação económica, social e moral. Da austeridade económica, social e moral. Sem abraçar um liberalismo libertário, Cameron esgrimia o emagrecimento do Estado, o corte das despesas, pugnava por decisões difíceis e impopulares, em resumo, uma ementa cara aos conservadores que, segundo afirmava, os trabalhistas não teriam garras para tocar. Afinal, tiveram garras. Mas não para o emagrecimento. Antes, para a engorda que fez suspirar de alívio e acalmar os contribuintes e o mundo à beira do precipício. Seria alternativa ficar de braços cruzados? No Reino Unido, o Estado nacionalizou entre 60% e 40% dos três maiores bancos, respectivamente, o Royal Bank of Scotland, e a projectada fusão HBOS/Lloyds TSB que irá controlar um terço dos empréstimos bancários deste país. A engorda é, segundo o Governo, temporária, uma transição até se reconstruir uma economia de mercado controlada, regulamentada, transparente. Quanto tempo irá durar, ninguém sabe. A Secretária do Tesouro já veio a lume esclarecer que não é intenção do Estado permanecer na gestão desses bancos. Os contribuintes estão gratos a Brown e deram-lhe uma vitória nas eleições locais escocesas. Brown, que espaneja autoconfiança do alto dos seus cabelos, subiu nas sondagens pelo plano que, até ver, aparentou ter consistência para travar o apocalipse. Assenta-lhe como uma luva a missão de homem sério para a seriedade dos tempos. Além dos encargos que o Estado assumiu junto dos bancos e para os quais prevê uma verba cativa de 50% do orçamento anual, estão na calha aumentos referentes a benefícios por incapacidade, deficiência, maternidade; apoios ao arrendamento, ao desemprego; aumentos nas pensões estatais e estímulos keynesianos de gasto público: na construção de habitação social e em megaprojectos de infra-estrutura. Medidas que, conduzindo ao endividamento público a longo prazo, muitos economistas aplaudirão, seja porque injectam dinheiro numa economia enfraquecida, seja porque a construção imobiliária tem sido a mola desta economia e há que mantê-la.

Mas o sector público não tem fundos para engordar ilimitadamente. E, depois do endividamento público que muitos contestam, virá o emagrecimento do serviço público proposto por Cameron, nomeadamente, os cortes nos contratos públicos e fundos de fundações, o aligeiramento da herança Blair do Sistema Nacional de Saúde, a redução nas bolsas para estudantes, um controlo mais apertado dos benefícios da Segurança Social, e pouco ou nada será feito pela educação estadual, já de si de fraca qualidade, recurso dos menos favorecidos, carecidos de alternativa. E, *last but not least,* um inevitável aumento de impostos e de endividamento público que a próxima geração terá de pagar, um Estado com menos receitas, menos orçamento, menos margem para efectuar qualquer justiça redistributiva. Tudo se encaminhando para a conclusão de que é a classe média quem mais vai sentir o aperto dos rendimentos, o desemprego à porta, a deterioração da saúde e da educação estatais.

Num aspecto Cameron acertou. Não há como fugir ao aceno que os conservadores fazem aos valores da austeridade e tradição, brandido mal se avistou a ponta do icebergue. Queira-se ou não, a austeridade tocou à porta. A geração que sobreviveu ao pós-guerra já com ela está familiarizada, mas vai ser uma total aprendizagem para a minha geração, viciada no consumo, escape para pressões, depressões e infelicidade existencial. E sem nenhuma ideia de como ser feliz sem bens materiais. Onde procurar outro consolo, alívio, gratificação?

Aqui no Reino Unido o ponto positivo da «semana histórica da banca mundial» foi a confirmação de que os britânicos se dispõem a liderar em tempos de crise. Essa predisposição para a acção enérgica e liderança está-lhes na massa do sangue, na inversa proporção com que alemães e franceses preferem e se atrapalham na discussão teórica. E bastará saber liderar para que, quando a retoma chegue, este país seja um dos primeiros a soerguer-se dos escombros? Segundo os analistas mais optimistas, esperam-nos apenas dois anos maus, até 2010. Até lá, doerá o facto de estar na boca do vulcão, no centro nevrálgico. Apetece já, e apetecerá ainda mais, desligar rádio, televisão, fugir para países como Portugal onde as ondas de choque chegam amortecidas. Outro aspecto positivo foi a saída para a ribalta da dupla Brown/Darling e a entrada na sombra de Cameron/Osborne. Reconheço-o. Uma desconfiança inata me separa dos conservadores. Em 1993, Eugénio Lisboa era então adido cultural em Londres e escrevia no seu diário: «Isto, hoje, parece-me claro: não é possível em Inglaterra ser-se decente e conservador.» A mim parece-me claro que, se eles tomarem as rédeas do poder, vai ser menos simpático aos europeus e estrangeiros que aqui vivem por cá continuarem. Sofrerá uma inestimável perda, o maravilhoso cosmopolitismo de Londres, um cosmopolitismo que não é apenas uma ideia feita e na moda, mas conseguida. Em Paris, por exemplo, o cosmopolitismo não é tão bem alcançado. Londres, pelo contrário, é o mundo inteiro no melhor grau de interacção, compreensão e tolerância, mas sobreviverão estas qualidades ao choque da recessão? A antipatia e superioridade que os conservadores sentem face à Europa, da qual não se sentem realmente parte, ficou patente no apelo à não ratificação do Tratado de Lisboa. Ainda recentemente, num jantar de homenagem a Thatcher promovido pelo grupo de Bruges para assinalar o seu 20.º aniversário, foi recordado o famoso discurso eurocéptico da Dama-de-Ferro, proferido em Bruges em 1988, no qual Thatcher, antevendo o perigo do super-Estado europeu visionado por Delors, apelou a uma cooperação entre Estados independentes e soberanos e à competição comercial livre. Fazia sentido para os interesses britânicos, no contexto de 1988, o piscar de olhos à aliança transatlântica, assim como continua a fazer sentido, se bem que por tempo indeterminado, o Reino Unido continuar fora do euro, tanto quanto faz sentido para a Europa continental a coesão política, a economia e a moeda comuns, sem as quais países pequenos como Portugal ficariam ainda mais à mercê da crise económica. O super-Estado europeu centralizado, burocrático, a sua classe política e a perda de poderes dos Estados que resulta do Tratado de Lisboa são a face controversa, o preço a pagar pela protecção.

Os partidos políticos no Reino Unido reflectem muito do seu clivado sistema de classes. A dupla Brown/Darling é o rosto das classes trabalhadoras e a dupla Cameron/Osborne, o das classes privilegiadas. O que propõem não difere assim tanto e tende à convergência em tempos difíceis, mas são mais duras as políticas conservadoras de combate à imigração, uma nota que já aflorava no discurso *tory* quando a imigração era ainda uma mais-valia colectiva. Com os tempos a caminharem para a criminalidade e a violência, tendo o momento sido apelidado pelos liberais democratas como o 11 de Setembro financeiro, será cada vez mais fácil lançar o opróbrio nos estrangeiros e imigrantes. Os extremistas encontrarão simpatias fáceis entre os grupos que se vitimizarem. Certamente, os 120 mil trabalhadores que a City prevê despedir até ao final do ano, as cifras de dois milhões de desempregados até ao Natal, ou os que salvando o emprego perderão necessariamente os bónus com os quais contavam para sobreviver. Bónus destinados a necessidades primárias e vitais como o empréstimo bancário e as propinas escolares. Por arrasto, outros profissionais perderão os empregos: «caçadores de cabeças», advogados, administrativos, empregados em agências imobiliárias, de contabilidade, restauração, hotelaria, *hi-tec*. E muitos arquitectos em consequência do decréscimo na construção civil. Tantos sem hipótese de contemplar uma reciclagem profissional.

Se torço pelos bons frutos da liderança britânica nesta crise e para que ao leme se mantenham os trabalhistas, ainda não vi os badalados efeitos positivos da mesma. Fala-se na fibra moral, na sustentabilidade micro, macroeconómica e ambiental, no redimensionamento das necessidades, na machadada no consumismo, na descida do preço do gás, electricidade, bens alimentares, inflação; em casas mais baratas e num possível estímulo ao crescimento da natalidade, a um *baby boom*. Fala-se na reeducação das pessoas em valores para além do querer; valores de moderação, temperança, disciplina, virtude. Colocam-se questões de difícil resposta. Como recriar a virtude num mundo pós-moderno, beber novamente das fontes que geram a virtude, a felicidade desprendida de bens materiais? Como resistir à cobiça inerente à massa humana, à gratificação e aquisição imediata? Encontrar modelos de desenvolvimento económico que, admitindo que o crescimento é bom (arrancou-nos da selva para a cidade, deu-nos carros, máquinas, lazer), reconheçam que não é infinito. Sopra-se o pó a Adam Smith e fala-se de modelos que estimulem a responsabilidade, o dever, a confiança e a integridade, conceitos que de acordo com Adam Smith eram pilares no bom funcionamento da economia de mercado. O governador do Banco de Inglaterra, Mervyn King, sugere o retorno a uma certa monotonia, pilar da actividade bancária, como para outros o latim e o grego são o pilar da educação. «Eu tenho dito muitas vezes que uma política monetária bem-sucedida parecerá mais aborrecida. Por isso deixem-me fazer um convite à indústria financeira para que se junte a mim na promoção da ideia de que um pouco mais de 'cinzento' não nos faz mal nenhum.» Fala-se de um novo capitalismo em germinação, no modo como entendemos e ultrapassamos o que se revelou errado no modelo anterior, rotulado de «capitalismo de casino» por Robert Preston, um jornalista e *blogger* da BBC que, contando com meio milhão de leitores diários, tem influenciado decisivamente o rumo dos acontecimentos. Um novo capitalismo que extirpará o débito privado, público e corporativo em que nos habituámos a viver, que será mais justo e menos alienante que o modelo em que vivemos nos últimos trinta anos. Mais gentil, mais redistributivo, menos um casino no qual o vencedor arrebanha todo o prémio.

É cedo. A meio do túnel, por enquanto só consigo avistar um maciço sofrimento e nenhuns culpados. De facto, um descartar de culpas que embaraça a colectividade. Um desemprego que não se registava há dezassete anos. Companhias de recrutamento que pararam de recrutar. Horários de trabalho mais pesados, menos licenças de maternidade, maior escalada de clientes para os psicólogos do Sistema Nacional de Saúde. Mais depressões, álcool e drogas, suicídios à terça-feira, dizem, o dia em que a vida parece mais negra para quem ingeriu cocaína no fim-de-semana. A meio do túnel, não vejo nenhuma renovação, apenas homens e mulheres adestrados na cobiça, ainda a esmifrarem fortunas na estrebuchante bolsa mundial, veja-se o caso Porsche-Volkswagen. Ainda a reclamarem, sem vergonha ou decoro, o pagamento de biliões de bónus em bancos salvos com o erário público, veja-se o caso do Royal Bank of Scotland. Que renovação? O caminho a encetar é o reconhecimento oficial das mais pessimistas concepções da natureza humana, da nossa natureza gananciosa desembaraçada de deuses, alma, constrangimentos de religião, consciência, moral, boas maneiras, enfiados num caixão, homens para quem só existe o aqui e agora, uma vida breve, desoladamente breve. Tal obriga ao erguer de barreiras e limites por parte do Estado, o vazio legal é uma tentação demasiado grande por onde se infiltra a ganância humana. É ao Estado que cabe, pelo braço legal, fiscal, da justiça e do policiamento, dentro de poderes equilibrados e que se auto e entre-limitam, reprimir os instintos mais egoístas, proteger os mais fracos, premiar os que se comportam dentro das normas e policiar eficazmente os prevaricadores. Não esquecendo nunca o aqui se ouve, *«the state is our servant, not our master»*[2]. Um Estado gordo tem de ser panaceia transitória. Ninguém deseja o regresso à economia nacionalizada, a demasiadas leis codificadas, a um poder político que cerceie a liberdade individual, ninguém que conheça a liberdade, como qualquer londrino a conhece, admira e preza.

Desço ao parque. As folhas amarelecem nas árvores. Dezenas soltam-se, esvoaçam pelos ares, aterram na estrada, no passeio, na relva. Ganham tons ferrugentos. Pisadas, amassadas por sapatos, convertem-se em pó. O Outono chegou em força e frio. Grace, a guarda do parque de recreio onde brincamos diariamente, remove as folhas com um ancinho e o meu filho ajuda-a. Carrega folhas nas mãos, despeja-as no saco do lixo, exclama no tom decidido de quem aprende a nomear o mundo e não lhe conhece ainda contradições: *«Rubbish.»* Numa troca de palavras com Grace, fico a saber que não vou voltar a ver os dois auxiliares

---

[2] O Estado é o nosso criado, não o nosso amo.

que a costumavam revezar. A empresa municipalizada que os contratou está em contenção de despesas e despediu-os. Grace terá de acumular horários e funções. Algo a preocupa imensamente. Ter de fechar o parque de recreio todos os dias às quatro, a uma hora a que já está escuro como breu, e lidar com adolescentes violentos que se recusam a desocupar a área. Às vezes estão ali a beber e a fumar charros, outras só a conviver, mas em geral não gostam de receber a ordem de recolha e têm nos bolsos facas e canivetes.

Avisto Valeria, em Upper Street, arejando o seu novo rebento enfaixado ao peito. Pergunto-lhe pelo marido, Giorgio, *highflyer* num dos grandes bancos do Reino Unido, J.P. Morgan. Por estes dias nenhum trabalhador da banca está a salvo, nenhum pode garantir que reterá o emprego nos próximos seis meses, apesar de J.P. Morgan ser, até ver, um *bunker*. A aquisição do Bear Sterns demonstra a sua solidez financeira. Valeria confessa-me que Giorgio se sente reduzido a menos que pária e parasita. Abaixo dos políticos na consideração e estima social. Giorgio rejeita a versão de que foi a falta de ética que conduziu ao descalabro. Segundo ele, estaríamos perante o mesmo cenário ainda que os banqueiros fossem diligentes e honestos trabalhadores. A sua explicação desculpabilizadora redunda na fatalidade dos ciclos económicos, na baixa das taxas de juro, seguida do aumento das mesmas e da inflação. Lança as culpas na regulamentação e nas regras de contabilidade bancária ou na falta delas.

Valeria confessa-se esmagada pelo julgamento público dos executivos da elite bancária. Ajuste de contas levado a cabo em frentes várias, por contribuintes, pensionistas, accionistas. Vem à tona da água a verdade sobre o modo mais célere de enriquecer na capital financeira do Planeta. Sobre os trabalhos superiormente inteligentes, complexos, sofisticados, inalcançáveis a inferiores hierárquicos e ao vulgo público. Empreendidos por gente dotada de extraordinária energia, gosto pelo dinheiro, guiada pela intriga, rumores postos a correr, «expectativa da expectativa». Para tal, desfolhemos a agenda do marido de Valeria, executivo bancário número e calibre três, e vejamos a que ficou reduzido um dia de nobre labuta diária. Atravessar o Atlântico, aterrar, dar apertos de mão e fechar negócio de 6 dígitos. Regressar no mesmo dia, atravessar o Índico, aterrar e fechar negócio de 7 dígitos. Conduzir clientes em carros desportivos de luxo, fechar negócios à mesa de restaurantes de luxo, comprar fatos, camisas e gravatas apropriadas ao luxo. Tinha como tantos outros a sua família e sacrificava sem dúvida as horas que passava com os filhos para lhes proporcionar boas casas, bons estudos, futura estabilidade económica. Nem criminoso, nem vítima, floresceu nesse mercado livre que deu permissão à cobiça sem rei nem roque. Quando se desse o caso de os gerentes não serem accionistas, não havia interesses próprios nem regulamentação a travá-los. Havia em contrapartida bónus astronómicos a tentarem-nos e indemnizações, se o trapezista caísse à rede. Estiveram sempre a salvo. São os menos sacrificados, os menos lesados pela catástrofe que provocaram. Tirando a desconsideração social, enriqueceram tanto que, se perderem o emprego, podem reformar-se.

Outra realidade é a da arraia-miúda dos bancos. Impossível por uns anos recomeçar a vida profissional, caso fiquem desempregados. A banca é tudo o que sabem, ou não, fazer. A competição é e será feroz, entre gente capaz, qualificada, demasiada para o reajustamento que a actividade bancária tem de enfrentar. Longe de sentirem o fundo ao poço, os empregadores mostram-se relutantes em reempregar até serem assegurados de que a retoma está em curso. Os custos fixos que decorrem da contratação e recontratação de pessoal, para qualquer actividade dentro da City, são dos mais elevados, senão os mais elevados do mundo. Incluem exorbitantes rendas decorrentes da chamada *prime location*[3]; gastos com seguros, electricidade, secretariado, e City Police, uma polícia que opera na City e que, apesar de fazer parte da Polícia Metropolitana, é custeada por todos os escritórios da City; encargos de *software* informático e de *hi-tec;* tudo isto repartido por todos e cada um dos trabalhadores. Para não mencionar os custos de despedimentos e as brutais indemnizações que, por norma, se praticam.

[3] Localização privilegiada.

Eu e Valeria desfiamos misérias. Um casal italiano residente em Londres, pais de duas crianças, perdeu subitamente o emprego no banco Lehmann Brothers. Forçados a vender o apartamento em Canary Wharf comprado em 2006, no pico da especulação imobiliária (entre 2000 e 2006 o preço do imobiliário duplicou nesta cidade) para saldar o empréstimo e regressar a Itália, perderam qualquer coisa como 100 000 libras (aproximadamente 130 000 Euros). Outro casal em Nova Iorque, cujo grosso do rendimento familiar advém do salário da mulher no Deutsche Bank, sentou-se à noite a discutir o que farão à vida se o desemprego bater à porta, basicamente consideraram com qual dos pais do casal irão viver, os dele ou os dela. Eu e Valeria passamos algumas montras de agentes imobiliários que até há bem pouco tempo abriam aos sábados, acudindo aos jovens casalinhos da City que aqui procuravam arrendar ou comprar casa. À porta do Foxtons, um dos mais agressivos agentes, conhecido por espetar placas em portas que não estavam para venda, vemos uma frota de verdejantes *Minis* desactivada. Que é feito dos flamejantes vendedores e clientes a cruzarem as ruas da cidade? O investimento imobiliário está desacreditado, as vendas de casas caíram segundo estimativas para duas vendas por mês por cada loja imobiliária, os preços serão cortados em 14% até ao fim do ano e em mais 10% no próximo ano. Ou será 35% até ao final de 2009? Ninguém sabe bem, apenas que cada novo cenário é pior do que o anterior. Certos agentes oferecem-se para efectuar transacções e não cobrar comissão. Passamos a nova publicidade do banco Natwest: «Corte no custo de vida. Entre e ganhe uma revisão financeira gratuita.» *(«Shrink the cost of living. Come in and have a free finantial review.»)* Passamos tentadoras montras com descontos de meia-estação. Numa delas, o convite: *«Stock liquidation. Everything must go.»* Noutra, uma paráfrase espirituosa ao dito do Primeiro-Ministro de que tempos extraordinários requerem medidas nunca vistas, resultou assim: «Tempos extraordinários. Poupanças Extraordinárias. Até 50% de desconto.» Tudo publicidade insuficiente para nos travar. E por isso me interrogo se o previsto corte no VAT, de 17,5% para 15%, redundará em algum estímulo ao consumo privado. O contágio psicológico da poupança é tão forte como o era há uns meses o contágio do consumismo. E o mais extraordinário dos tempos extraordinários, diz-me Valeria, é o facto de tudo correr tão fulminante e ferozmente, rebentando em cima das nossas cabeças e não nos dando sequer tempo para encontrar um abrigo.

De volta a casa, cruzo-me com outro casal vizinho que trabalha na City, dois australianos que madrugam diariamente às cinco da manhã. Às seis, já no escritório, acompanham a abertura da bolsa asiática. Caio na grande asneira de perguntar como vão as coisas. *«Bit weird but the weather is nice.»* (Um pouco estranhas mas o tempo está bom.)

De agora em diante não pergunto nada. Trato a situação como uma doença maligna para a qual ainda não há a cura e digo antes: «Espero que as coisas estejam a melhorar.»

Outubro, 2008

Primeiro um granizo torrencial, depois flocos de neve a caírem mansamente na extensão silenciosa de Highbury Fields. De manhã a neve ainda lá estava, cobrindo partes do parque, e eu mostrei ao meu filho. Ele disse: «Areia. Portugal.» Era tudo o que conhecia, por associação de ideias, imagens e cores. Usei da mesma táctica para o ensinar: «Neve, frio, Londres. Areia, calor, Portugal.» Retorquiu: *It's very, very nice.* (É muito, muito bonito.)

E depois ficou ali parado, à janela, como muitas vezes fica, a olhar o parque, em baixo. Sem querer, já lhe transmiti a nostalgia e a solidão de quem tem vários países. Ele tem três. Às vezes, aponta um avião e diz: «Avião. Portugal.» Outras: «Avião. Alemanha.» Conhece palavras como longe e saudade, fala ao telefone com avós, tios e primos que vê mais em fotografia do que em carne e osso, nomes que o embalam ao adormecer. «Avô, avó, primos.» «Já estão todos a dormir?», pergunta. «Sim, todos», respondo, evocando terras distantes que ele pisa duas vezes por ano.

Descemos ao parque, a neve derrete, a vida vem ao nosso encontro. *«Hi Audrey!»* A última vez que a vi, ela ainda não tinha enviuvado de Peter Powell, o nosso antigo vizinho que ganhava uns biscates a inventar excursões literárias em torno de Islington. A voz falta-me para lhe dizer o quanto gostávamos de Peter. Falta-me a voz para lhe dizer e depois digo-o numa voz tremida, à beira das lágrimas totalmente impróprias para a parca intimidade que alguma vez tivemos e da qual qualquer inglesa foge a sete pés. Audrey, sinto-o, não tem mais lágrimas, pálida, olheirenta, diz-me frugalmente que estava a contar tornar-se pensionista mas viu as vazas cortadas. Os fundos de pensões do Reino Unido estavam investidos na Bolsa. Alguns fundos detinham acções nos bancos que foram parcialmente nacionalizados (Royal Bank of Scotland, Lloyds TSB/HBOS) ou que simplesmente perderam cotação na bolsa (todos eles, com uma desvalorização variável entre 10% a 50%). Outros fundos foram investidos nos últimos anos em economias emergentes. Os pensionistas entraram sem saber nas economias da Coreia do Sul, Argentina, Ucrânia, Paquistão, todas elas afectadas pelo que agora se denomina «activos tóxicos». Resultado, os pensionistas actuais e a curto prazo perderam um quinto do valor das pensões.

Não me espanta que os depósitos dos pensionistas assim tenham sido tratados, jogados na bolsa em manobras bancárias especulativas ou pouco cautelosas. No fim da vida ou no seu princípio, os bancos tinham perdido a noção de que o dinheiro estava à sua guarda, que eram guardiães, e não proprietários, e tinham perdido também o respeito pelo dinheiro, pela liquidez. Conto só uma história.

Quando o meu filho nasceu foi-me oferecido um *voucher* de 250 libras pelo Governo, proveniente da organização CTF (Child Trust Fund) e, em última análise, dos impostos de Sua Majestade (HMR, ou seja, Her Majesty's Revenue). Para se converter em liquidez, o *voucher* obrigava à abertura de uma conta bancária em nome do meu filho em qualquer banco britânico, as chamadas CTFA (Child Trust Fund Account). A conta não poderia ser movimentada até ele atingir a maioridade, altura em que ele mesmo o poderia fazer. Essa oferta não era inocente. Acoplada a ela, vinha um forte incentivo a que o dinheiro fosse investido na bolsa. Nos papéis informativos que recebi, surgia à cabeça das possibilidade dos tipos de conta a abrir a *stakeholder account,* na prática um investimento em acções de companhias que seguia regras «que reduziam o risco quando o investimento fosse feito a longo prazo». Este era o tipo de conta que o Governo entendia adequado para a maioria das famílias, pois se nós (pais) estivéssemos dispostos a correr mais riscos do que os inerentes a uma conta em dinheiro, isso poderia traduzir-se em mais pecúlio quando o filho atingisse os dezoito anos. Como segunda opção, surgiam as *shares accounts,* um investimento em acções que poderia envolver mais risco do que as *stakeholder accounts,* avisavam; todavia em vez de dissuadirem o risco, fomentavam-no, acenando com o lucro quase certo. Se nós, como pais, estivéssemos dispostos a correr esse risco superior, isso poderia traduzir-se numa maior receita para o nosso filho quando ele atingisse os dezoito anos. As várias instituições bancárias que contactei a fim de abrir a CTFA jogavam o mesmo jogo do CTF e ofereciam «lucrativos» pacotes de acções. Obstinados em não jogar o *match* governo-banca, pela aversão que o conluio nos provocava, fomos dos poucos pais a optar pela liquidez do dinheiro. Apesar de mencionado nos panfletos informativos, o factor risco tinha uma consistência irreal para o Governo, bancos, famílias, indivíduos, todos a fecharem os olhos, como se o carrossel e a cega-rega pudessem prosseguir eternamente. Não se erradica do dia para a noite uma cultura de apelo ao lucro rápido, ao risco legalizado e induzido colectivamente, no qual, cada qual à sua escala, tomou parte: pais que aceitaram elevados riscos nas CTFA a fim de que os filhos pudessem receber mais dinheiro quando atingissem a maioridade; indivíduos que mentiram aos bancos sobre os seus rendimentos para obterem empréstimos bancários ou a quem os bancos concederam facilmente empréstimos na ordem dos 125% sobre o valor do imóvel.

Encontro Raina no parque a passear a neta, Lala. Raina depende da sua pensão de reformada como farmacêutica em Budapeste para viver em Londres. Raina explica que não sabe se conseguirá continuar a viver em Londres, agora que o forint desvalorizou no último mês face ao euro e ao dólar. Entretanto, relata-me como os húngaros, saídos do comunismo há vinte anos, caíram no pote de mel do consumismo e começaram a comprar casa, carros, electrodomésticos. Mais de metade dos empréstimos ao sector privado (e a partir de 2006 cerca de 90% dos empréstimos) passaram a ser contraídos em moeda estrangeira: euros, francos suíços ou ienes, sendo muito populares os bancos japoneses e suíços. Contrair um empréstimo em moeda estrangeira reve-lava-se um meio de contornar as elevadas taxas de juro húngaras e pare-cia uma excelente ideia, dadas as baixas taxas de juro estrangeiras e o fortalecimento do forint, pela projectada adesão ao euro. Mas nas últi-mas semanas o forint perdeu valor (por exemplo, enquanto há um ano um franco suíço comprava 150 forints, agora são necessários 188 forints para comprarem um franco suíço). E todos os húngaros que contraíram empréstimos em moeda estrangeira estão a sofrer aumentos no custo do empréstimo mensal. Como pensionista do Estado, Raina teme além disso a perda do décimo terceiro mês, um dos primeiros benefícios que será ceifado do generoso sistema de benefícios sociais húngaro.

Depois, pergunta-me se já sei o que aconteceu a Grace, a guarda do parque de recreio. Digo-lhe que não sei de nada, mas que estranho o seu desaparecimento. Grace, conta-me, foi ameaçada com uma faca por um dos adolescentes que resistia a abandonar o parque de recreio. Não vamos vê-la mais. Já há muito se queixava do risco que corria e nin-guém lhe deu ouvidos. Na companhia para a qual trabalhava não lhe ofereceram segurança pessoal, antes ou depois da ocorrência.

Dois outros sinais de violência e insegurança pública bateram-me estrondosamente à porta esta semana. Na empresa do meu marido uma jovem estagiária acudiu na noite passada ao chamamento de socorro de um sem-abrigo que estava a ser espancado. A estagiária mal teve tempo de soltar *Hey* e já o agressor lhe enfiava um soco no olho e outro nas cos-telas, três das quais ficaram em mau estado. Corajosa, teve ânimo para sacar de uma lima de unhas e atacar o agressor. Que fugiu, impune.

O outro caso foi o de uma jovem portuguesa, sobrinha de uma amiga, aqui aterrada com o alojamento previamente arranjado num *site* da Internet. Nos seus confiantes vinte e poucos anos, rejubilou ao encontrar um T1 num dos bairros residenciais mais chiques de Lon-dres, Knightsbridge, a um preço irrisório. Não vivendo em Londres, não podia estranhar suspeitosos detalhes do acordo, como a exigência de uma renda mensal, e não de uma renda semanal, aqui o habitual-mente convencionado. Confiando nas imagens do dito *website,* uma

casa de banho atraente, cozinha reformada, sala confortável e bem mobi-
lada, adiantou um depósito para sinalizar o apartamento sem que uma
amiga que tinha em Londres conseguisse entrar em contacto com o
virtual senhorio e confirmar com os seus próprios olhos a realidade do
apartamento. Teve a prudência de não pagar nem mais um tostão e,
entretanto, forneceu via *e-mail* todos os dados que lhe foram solicita-
dos para a celebração do contrato de arrendamento pelo zeloso senhorio, cumpridor das formalidades legais. Em contrapartida, teve acesso
ao nome, passaporte, número de contribuinte do suposto senhorio
Mark. Chegou a Londres numa segunda-feira e às 14h00 já estava no
sítio combinado, a estação de King's Cross, à espera de receber as chaves e pagar o resto da renda. Esperou em vão quatro horas. Estava um
dia frio. Começou a telefonar ao suposto Mark, que ora declinava as
chamadas, ora respondia e informava que estava em reunião e que tele-
fonaria de volta, promessa que não cumpria. Desesperada, arrastou-se
até à morada do apartamento que virtualmente lhe tinha sido arren-
dado. Foi informada por vizinhos de que o mesmo estava desocupado
há bastante tempo. Chegou entretanto um telefonema de Mark a soli-
citar que o resto da renda fosse entregue junto do «seu» agente imobiliário, encarregado do arrendamento do andar, contrapartida necessária à entrega das chaves. O número de telemóvel do «agente imobiliário»
era adiantado bem como a respectiva morada. Escusado será dizer, à
suposta morada do agente mobiliário correspondiam estúdios de rádio
e televisão. No todo, uma fraude bem montada e na qual já devem ter
caído muitos outros recém-chegados a Londres, subitamente engana-
dos, roubados e desalojados nas ruas da cidade.

Novembro 2008

O Reino Unido tem gozado de uma política aberta à imigração, de fechar os olhos e ser flexível. Da qual eu, como tantas outras mães, sou principal beneficiária, encontrando qualificadas *baby-sitters* na imigração legal e ilegal, às quais pago tanto quanto pagaria a uma inglesa, mas das quais espero muito mais do esperaria de uma inglesa. Não tenho sido defraudada. Hoje o Ministro da Imigração trabalhista veio afirmar que o governo não permitirá o aumento da população dos actuais 61 milhões para mais de 70 milhões, traçando um sistema de selecção pontual baseado na qualificação laboral. A quem se aplica a dita selecção? Sendo intocável o número de imigrantes provenientes da União Europeia, e o dos que solicitam asilo político, o machado aguça-se para os ilegais.

Assegurando que a questão da imigração não deve ser confundida com a questão racial, o Ministro atirou várias frases a começar e a acabar em coesão das comunidades, mudar percepções e consciências públicas, tomar medidas que não foram tomadas nos últimos quarenta e cinco anos. Correu logo o Ministro sombra dos conservadores a reclamar o roubo das ideias conservadoras, que no fundo se tratava da adopção do seu sistema de quotas. Menos de uma semana mais tarde, o Ministro da Imigração foi agraciado com uma tarte na cara atirada em cheio por uma mulher do No Borders Group em Manchester.

Se não é fácil aqui chegar em condições ilegais – afinal de contas trata-se de uma ilha –, mais difícil é permanecer. Uma selecção natural apura os mais afoitos, ambiciosos e capazes imigrantes e só esses se habilitam à permanência de longa duração. Durante a sua abastança, esta economia beneficiou da extraordinária capacidade de trabalho dos imigrantes a baixo custo em áreas desprezadas pelos *brits,* para já não falar da riqueza criada por trabalhadores educados e qualificados da União Europeia e não só. Beneficiou do facto de esses imigrantes aqui arrendarem ou mesmo comprarem casas e muitos pagarem impostos. Dada a taxa de pleno emprego, a maioria contribuiu mais para o Tesouro do que reclamou e recebeu benefícios sociais, um efeito acentuado caso os imigrantes partissem e não permanecessem uma vez atingida a meia-idade.

Conheço alguns; são brasileiros, coleccionam empregos durante o dia e à noite; não criam desacatos e talvez não escrevam, mas entendem e mantêm uma conversa em inglês. Contribuem para a agradável multietnicidade e culturalidade desta cidade, para o conforto de poder falar e fazer-me entender na minha língua. O Ministro afiança que a mão--de-obra especializada que fizer falta ao país poderá aqui permanecer ao abrigo de listas que publicitarão as profissões necessárias e as proibidas (no último caso, a enfermagem). E eu pergunto-me se nessa quota caberá Sheila, a minha última *baby-sitter,* pela qual estaria disposta a jurar ser a mão-de-obra mais indispensável e especializada que aqui encontrei.

É do Nordeste brasileiro, do extremo norte do Ceará, a oeste de Fortaleza, terra de dunas macias, mar manso, praias desertas, restingas, lagoas, mangues, festas de vilarejos, habitantes que sobem ao morro ao entardecer para se despedir do Sol a apagar-se no mar, ruas sem iluminação eléctrica, brilhando às estrelas e ao luar. É de Jijoca de Jericoacoara, um lugar a que se chega empoeirado, chocalhado das dunas galgadas por autocarros e *buggies.* E possui uma competência rara. É uma verdadeira «*entertainer*». Mascara-se e actua para o meu filho. Vestida de joaninha, abelha ou arlequim, correm, rebolam pelo parque e chegam a casa de bofes de fora. É capaz de, sem desvairar, ouvir dez vezes seguidas o CD de músicas infantis; subir e descer o escorrega de trinta degraus; permanecer meia hora em frente de cada um dos brinquedos interactivos do Museu da Ciência e outra meia hora em frente do barulhento dinossauro recriado pelo Museu de História Natural. À força de conviver com o Brasil, o meu filho por vezes já não me chama mãe, mas mamãe; Papai Natal pode sair mais depressa do que Pai Natal, cachorro em vez de cão, suco em vez de sumo. E diz «vamos pegar o avião» em vez de «vamos apanhar o avião» e «colocar o chapéu», em vez de o pôr. O meu filho está, enfim, preparado para o novo acordo ortográfico.

Chegada há três anos, trabalho é coisa que não falta a Sheila, completado um curso de ortodontia em São Paulo, incapaz de lhe valer profissão ou trabalho. Começou por limpar casas e escritórios de madrugada, antes da abertura aos empregados e público. Acordava às três da manhã para apanhar uma carreira de autocarro que a conduzia ao local de trabalho, pois o metro só abre às seis. Aos poucos adicionou à limpeza o *baby-sitting*, e nessa dupla tornou-se indispensável em duas ou três casas muito ricas desta cidade. Numa casa georgiana em Notting Hill, de cinco andares, servida de elevador, vestia uniforme para servir os convidados à mesa, fazia três máquinas diárias de roupa de cama e de uso do casal, de uma adolescente e dois bebés; e passava a ferro diariamente pilhas que a dona da casa examinava meticulosamente à cata de rugas que significavam a obrigação de voltar a passar. Dava conta de arrancar as ervas daninhas e arranjar o jardim com tanto esmero que contraiu uma tendinite e andou semanas de mão ligada. A perfeição dos pequenos detalhes foi-se requintando, exigida pela patroa que reconheceu a sua natureza perfeccionista. Tudo isso dominou, como compor impecavelmente as almofadas dos sofás, os panos, a roupa de cama, como deixar a reluzir as torneiras, o vidro de resguardo do chuveiro. Era seu em exclusivo o mérito de saber aplicar-se a cada uma dessas tarefas com o mesmo amor. A minha modesta casa representou menos dinheiro ao fim do mês e o fim da exploração. Apesar de bem paga, a patroa sempre pagou a Sheila menos do que lhe custaria uma empregada inglesa e sempre obteve dela o que não conseguiria arrancar a uma inglesa. Sheila já pode meter a chave à fechadura antes das onze, meia-noite, e aguardar que o marido regresse das obras na construção civil, emprego que acumula com o de «chefe» no turno da manhã da Pâtisserie Valérie, uma cadeia de pastelarias. A troca não foi um passo fácil de dar para quem, como Sheila, emigrou para Londres a fim de, no mais curto tempo, fazer o dinheiro necessário para regressar a Jericoacoara e montar negócio de pastelaria, de pousada, de restaurante para turista rico, logo se vê. É que sonha todos os dias com a filha que deixou, apenas com três anos, a cargo de uma ex-cunhada. Fala com ela pelo Skype e vê fotografias de um crescimento a que não assiste. Traz o coração cortado e há dias em que pensa que não aguenta mais. E paga para que ela tenha tudo do melhor, roupas, ténis, aulas de Inglês, o melhor e o mais caro colégio da vila, férias trepando a cachoeira.

Sheila chegou-me assustada. Relatou-me que muitos brasileiros seus conhecidos já estão a debandar de Londres. A queda da libra face ao euro e ao real torna menos atraente a permanência de brasileiros e europeus; os empregadores estão mais cuidadosos na contratação de empregados ilegais e os trabalhos desqualificados outrora abundantes, da limpeza à cozinha e venda ao balcão, escasseiam. Um irmão de Sheila, que era segurança de um prédio a cinco libras à hora, ficou desempregado e ela acolheu-o em sua casa. Contemplar a reciclagem profissional está mais difícil para homens do que para mulheres. Elas sempre se safam nas limpezas e no *baby-sitting*, eles, uma vez desempregados da restauração, da construção civil, em franca desaceleração, de actividades de vigilância e segurança, são deixados sem saída. Como outros brasileiros, o irmão de Sheila costumava enviar entre 350 e 650 euros para casa. Ainda mantém o montante, mas decaiu na frequência, a custo cumprindo o compromisso de providenciar a sobrevivência da família, pagar despesas de escola e de saúde de um filho que tem hoje oito anos e tinha um a última vez que o viu. Esse filho, entretanto transformado em pré-adolescente rebelde, que ele compensa materialmente com bens que a si próprio não permite, telemóveis, consolas e computadores de último grito, para aplacar a culpa e dor de consciência.

A mulher pede-lhe que regresse. Não tendo conseguido amealhar o suficiente para a construção de uma casa no terreno adquirido com o suor de sete anos de trabalho no Reino Unido, e com 2000 libras no bolso que lhe permitirão viver sem trabalhar durante um ano, ele acedeu. É chegado o momento de voltar de vez.

Uma tia de Sheila a trabalhar na cadeia de pizas Papa Johns e um tio que faz entregas de piza ao domicílio são um casal de meia-idade com filhos e netos no Brasil. Para eles também é chegada a hora da despedida, o voo de regresso está comprado, uma festa e netos que nunca viram à sua espera. Estavam aqui ilegais, situação em que facilmente se cai. Ao fim de uma estadia no Reino Unido, de seis em seis meses, são obrigados a ir a casa, interregno que muitos não respeitam pela dificuldade em reentrar no Reino Unido. Da boca de Sheila ouço o que mais parece um boato posto a correr: até há pouco o Governo deportava cinco imigrantes ilegais por minuto, o objectivo é acelerar a deportação para oito imigrantes por minuto. O processo tradicionalmente seguido pela Polícia de abordar, pedir papéis, deportar o ilegal no primeiro voo de regresso a casa, vai ser substituído. Visando acentuar o efeito inibidor, serão introduzidas penas de prisão e multas, seguidas da deportação. Como europeia, sinto-me privilegiada por ter sido poupada a esforços burocráticos para residir neste país. Entro e saio quando quero, mato saudades, vou e volto a casa. Os ingleses não se mostram incomodados com a minha presença e, dissipada a timidez inicial, o à-vontade foi crescendo. Até quando irá durar a benesse da livre circulação e se poderá a mesma ser restringida é a questão que fica no ar, sabendo que 80% dos imigrantes do Reino Unido provieram no ano passado da União Europeia e que o controlo implementado pelo Governo Brown não será por certo suficiente para conter a população na casa dos 70 milhões, o tecto limite anunciado pelo Ministro da Imigração.

Outra manifesta desvantagem de alguma imigração é a cor de pele, ainda que os britânicos dissimulem a questão racial como nenhum outro povo europeu. Também aqui existe um BNP (British National Party), o partido de extrema-direita que antipatiza com relações entre raças e crianças miscigenadas e não considera britânicos os não-brancos nascidos no Reino Unido, ainda que naturalizados. Activo nos anos 70 na sequência da recessão económica deste país, o BNP lançou o mote *«jobs for us, not for them»* (empregos para nós, não para eles) e começa a capitalizar votos, agora que, segundo um relatório, seis em dez imigrantes provenientes da «Nova Europa», os países que aderiram recentemente à União Europeia, ocupam empregos ao nível básico. A rádio passa o testemunho de judeus que nos anos 30 foram atacados na rua pelos camisas-negras da União Fascista Britânica, BUF (British Union of Fascists), o partido fascista fundado por Oswald Mosley em 1932, numa altura em que o Reino Unido registava um desemprego na casa dos dois milhões, o mesmo que se prevê para 2009. As políticas advogadas pela União Fascista Britânica eram não apenas proteccionistas, mas isolacionistas, proibindo o comércio para além do Império britânico e apelando à grandeza britânica, à chamada «Britishness».

Após umas semanas de notícias negativas que aferrolharam as pessoas dentro de casa, vejo-as novamente sair à rua, enfrentar o Inverno mais frio dos últimos trinta anos – desde 1976 que não era tão frio – e encher a Euphorium Bakery. Depois do choque, a aceitação e a descompressão. Não é possível viver demasiado tempo na desesperança, na lucidez. E não é realidade também o sonho, o inconfessado poder do sonho? É sobre-humano voltar costas a hábitos desenvolvidos. Vultos perpassam, desaparecem na vidraça do café, correm atrás de sonhos, confortos da alma triste e gasta. Aos poucos, permitimo-nos o regresso a mimos do antigamente. Um *cappucino,* um bolo, até uma peça de roupa nos saldos de meia-estação. Afinal tudo o que se requer é esperança, a migalha de uma ilusão.

Novembro 2008

De tão cheia que a Euphorium Bakery anda nestes dias chuvosos e frios de Novembro, vi-me obrigada a procurar refúgio numa recente Fish and Chips, paredes-meias com a padaria. As lojas Fish and Chips, de peixe e batatas fritas, são um modo barato e tradicional de comer peixe nesta ilha, que pouco partido tira do seu mar e pescaria. Os seus habitantes, mais dados a hambúrgueres, bifes e salsichas, saboreiam pouco o peixe grelhado e desconhecem mesmo o peixe assado no forno.

Neste mesmo local sobrevivia há uns meses uma oleosa Fish and Chips, baratucho *take away* a figurar em roteiros turísticos brasileiros, vazio durante o dia, mas com bichas à porta, noite fora, aberto que ficava vinte e quatro horas por dia a oferecer refeições por 4 libras, sem concorrência à perna. O patrão da Euphorium comprou o trespasse e apenas no nome e menu manteve o negócio original, de resto transformou a «abóbora» num restaurante moderno chique e carregou nos preços. Dez libras soou abusivo ao bolso do freguês e, apesar de corrigida a conta meses mais tarde para metade, o estrago ficou feito, a fama espalhada e o negócio anda às moscas. Exceptuando os dias em que o Arsenal joga e os adeptos precisam de mastigar uma bucha para amortecer o efeito do álcool, a taxa de ocupação diária ronda as duas, três mesas num universo de dúzia e meia de mesas.

Ali estou a desfolhar as tristes notícias de Natal, Woolworths com 807 lojas em todo o Reino Unido à beira de fechar, 30 000 empregos em risco de engrossar uma cifra de desemprego de 2 milhões, 6% da população, até ao fim do ano de 2008, que se prevê irá chegar aos três milhões no próximo ano de 2009, uma percentagem de desemprego mais aproximada da média europeia. Nenhuma companhia a querer tomar conta da cadeia Woolworths e do seu débito malparado. E para já é liquidação total, bichas desde as sete da manhã a contar com os prometidos 50% de desconto em artigos de papelaria e para o lar. Outra notícia dá conta de 22 000 pessoas a candidatarem-se a 500 empregos do topo da função pública, os mais seguros e estimados nestes tempos. Waterstone's, a maior cadeia de livreiros no Reino Unido, perdeu em Outubro 3,1% das vendas.

Uma negociante de arte *(art dealer)* minha vizinha telefona-me e vem ao meu encontro para o almoço. Chama-se Brigite e vive há mais de quinze anos em Londres, juntamente com o marido, um físico americano. Pergunto-lhe pela vida profissional. Brigite tem um negócio próspero, compra a privados e em casas de leilões e vende numa galeria de arte no mercado de Shepperd's Bush. Explica-me o muito que mudou no último mês. As casas de leilões Sotheby's e Christie's costumavam dar aos negociantes, intermediários, antiquários, entre trinta e sessenta dias para saldarem as dívidas. Esse mínimo de trinta dias representava uma folga na respiração, um interregno durante o qual vendiam as peças adquiridas e com os proventos remiam a dívida junto das casas de leilões. As regras mudaram. É agora necessário pagar na hora em que se levanta a peça de arte, pois tanto a Sotheby's como a Christie's, menos folgadas no crédito bancário, têm elevados encargos com as múltiplas e luxuosas filiais no Reino Unido e estrangeiro e com o respectivo pessoal, que começaram a despedir. Outra surpresa é a ligeira queda dos preços no último leilão de arte moderna e impressionista da Christie's – no ano passado os preços voavam muito acima da fasquia mínima de licitação.

Brigite traz a célebre papoila na lapela no lado direito do casaco, segundo a convenção para o sexo feminino. Hoje, 11 de Novembro, é o «Remembrance Day», recordado em toda a Commonwealth, da África do Sul ao Canadá, Bermudas e Austrália. A recordação do fim da Primeira Guerra Mundial e, assim se espera, do fim das guerras. A venda das papoilas de papel para pôr na lapela, fabricadas por pessoas deficientes, reverte a favor de uma Instituição de Caridade, a Royal British Legion, ou simplesmente a Legião, que, desde 1921, dá ajuda financeira, social e emocional a todos os que serviram e ainda servem as Forças Armadas Britânicas, ajuda extensiva aos familiares dependentes.

Brigite não está sozinha. De lapela vazia, sou eu a desgarrada. Todos os anos, desde o fim de Outubro até meio de Novembro, passam por mim pessoas com estas papoilas ao peito. O apelo popular da papoila mobiliza políticos de todos os quadrantes, de apresentadores de TV a figuras públicas. O símbolo foi extraído do poema *In Flanders' Fields*, acerca da Primeira Guerra Mundial. As papoilas floresciam aí, num dos mais terríveis campos de batalha, a cor encarnada como símbolo para o sangue derramado na guerra das trincheiras.

Mas, no caso de Brigite, trazer a papoila espanta-me, dada a sua inequívoca ascendência germânica, denunciada até pela acentuação que usa quando falamos inglês, apesar dos muitos anos de residência nesta ilha. Bem sei que os sentimentos antigermânicos estão hoje bastante esfumados se comparados com os de há noventa anos, fomentados por uma Secretaria de Propaganda de Guerra, criada em 1914, e por jornais como o *Daily Mail,* ventoinha de escabrosas histórias sobre alemães residentes na Grã-Bretanha. Desde espiões do Kaiser apostados em actividades antibritânicas a histórias de padeiros alemães que misturavam arsénico no pão e de outros alemães vertendo veneno nos reservatórios de água que abasteciam Londres. A eliminação do *Lusitania* por um submarino alemão em 1915 despoletou mais ainda a histeria colectiva, uma atmosfera a roçar o *progrom* com gritos de «*Watch your German Neighbour*» (vigia o teu vizinho alemão) que precederam a destruição de lojas e o incêndio de propriedades em East End London, uma área afectada pela crise industrial, assim como de residências que se julgavam alemãs, com as pessoas a terem de escapar pelo telhado.

Descobrimos que estamos ambas interessadas na feminização que a Primeira Guerra Mundial introduziu em várias profissões onde se faziam sentir falhas de mão-de-obra, quebrando convenções que antes da guerra não teriam permitido às mulheres depois de casadas trabalhar fora de casa. As mulheres tomaram conta do serviço público, entraram nas fábricas de indústria ou munições, construção de aviões, docas e arsenais, caminho-de-ferro, correios, agricultura .(Land Army), esquadras de Polícia. Se bem que remuneradas pela metade do salário dos homens, sentiram uma utilidade que antes nunca haviam experimentado, um sentido de propósito e de emancipação, uma fuga à futilidade. A dilaceração de sentimentos que as mulheres sentiam nas fábricas de munições – de dadoras de vida passaram a manufacturar armas mortíferas – foi intuída e explorada pela propaganda política que lançou lemas como «fazer armas é tão natural como fazer amor». Não por acaso, desenrolaram-se paralelamente as primeiras lutas das sufragistas e o primeiro acto que concedeu às mulheres o direito de voto passou em 1917, impulsionado pela admiração que as mulheres granjearam no seu trabalho de guerra, pela sua importância económica, pelo decisivo contributo que, excedendo todas as esperanças e expectativas, deu a vitória aos Aliados. Foram reconhecidas a sua inteligência e eficiência sem precedentes, que demonstraram, por exemplo, no modo como souberam lidar com pesada e difícil maquinaria.

De facto, diz-me Brigite, não foi o trabalho que as mulheres fizeram em casa que lhes valeu o direito de voto. Foi necessária uma guerra mundial para elas o conquistarem. Foram necessárias raparigas nas fábricas de munições, a matarem o argumento de que as mulheres não deviam votar por não terem qualquer valor militar. E sufragistas, que cedo compreenderam a ajuda que a guerra podia dar à sua causa e reivindicações de cidadania, a trabalharem patrioticamente em prol da guerra. Só uma minoria das sufragistas enveredou pelo movimento pacifista. «E pensar que os alemães contavam com as sufragistas para deter a guerra!», exclama Brigite.

A nossa conversa resvala para a inflamação que a guerra e os tempos conturbados têm na fleuma humana. Durante a Primeira Guerra Mundial ficou cunhada a expressão *«khaki fever»*, a assinalar a febre que as raparigas sentiam pelos uniformes militares. Algum paralelo com as notícias que dão conta do aumento das vendas de preservativos e, sabe-se lá por que sondagens, do aumento da prática sexual como meio de atafabar as depressões da crise económica?

Regresso a casa e encontro Steve na esquina de Highbury Corner:

– Olá Steve. Como estás?

– Estou um pouco constipado. Não te aproximes.

– Está demasiado frio, cá fora. Devias procurar um lugar quente.

– Não está assim tão frio. Há ar quente que vem de baixo, do metro. Estive na biblioteca (local), mas não aguento lá estar muito tempo. Faz-me falta o ar fresco. Prefiro ficar aqui.

– Deves falar muito pouco o dia inteiro?

– É verdade, mas vejo muito. Gosto de ver as crianças a brincarem no parque. Um destes dias ainda hei-de pintar a paisagem que vejo deste lugar. Gosto do modo como as árvores enquadram aquele banco e aquele caixote do lixo, acolá. Depois hei-de vender o quadro por montes de dinheiro. Já que falamos nisto, talvez me possas ajudar a vender o quadro.

– Hmmm, Steve, não estou tão certa de que agora seja o momento para te lançares como artista, mas adoraria ver esse teu quadro. Até logo, Steve. Cuida de ti.

Dezembro 2008

O fim do ano aproxima-se lentamente e eu, como tantas outras mães estrangeiras, conto as horas que faltam para sair de Londres. Em vésperas de Natal, os comerciantes de Londres, em desespero e a reboque uns dos outros, fizeram saldos a 50% e a 70%. As grandes cadeias abriram mais cedo e fecharam mais tarde, por vezes assegurando as vinte e quatro horas de funcionamento contínuo.

Em Piccadily, mais precisamente em Berkeley Street, uma das ruas por onde desço ao coração da cidade em busca de compras natalícias, deparo com a habitual casa de jogos, Palm Beach Casino, uma das maiores de Londres; discreta e imperceptível, não fossem chamar-me a atenção uns sorumbáticos e inabordáveis seguranças. Aí, onde certa vez vi um cliente, «agarrado» é palavra justa, pois dava entrada no casino mal recebera alta do hospital, ainda de cadeira de rodas e enrolado em tubos de soro; sou pela primeira vez abordada pelos capangas que me entregam, em mão, um cupão grátis para bebidas. E o exclusivo restaurante do casino anuncia *bangers and mashed potatoes*[4], um dos pratos de *pub* a evitar, por quatro libras e meia. Este era um dos últimos locais que esperava ver com promoções, revelador de como nos bolsos mais folgados minguou o dinheiro atirado à roleta, *blackjack, poker* e *slot machines*.

[4] Salsichas com puré de batata.

Mais à frente, nas galerias de Piccadilly Street, em Burlington Arcade, vejo colecções de *Rolex,* dos anos sessenta, setenta, oitenta, que, a confiar no letreiro, estão por metade do preço. É agora possível ao coleccionador ou a quem não possa comprar um *Rolex* novo, adquiri-lo em segunda-mão, por um preço entre 1000 e 2000 libras. O único senão é que coleccionadores desta mercadoria e compradores em segunda-mão são espécies em extinção.

As mães despediram-se umas das outras em almoços de Natal. Valeria, a florentina, já partiu. Disse-me adeus até 2009, com um suspiro feliz. Para ela tornou-se um fardo continuar a viver em Londres: a desvalorização da libra, a perda de *glamour* que a cidade sofreu, o isolamento a que está cada vez mais votada a vida de mãe de dois filhos, sem ajudas familiares e a debandada de outros casais italianos tornados redundantes, como aqui se diz.

Valeria regressará no próximo ano, apenas o intervalo de tempo necessário a que o marido negoceie, com o banco para o qual trabalha, o valor da indemnização que compensa o seu despedimento. O despedimento, diga-se, é uma bênção dos céus. Algo que, na conjuntura actual, descontrairia alguns dos estrangeiros a trabalharem na City, à beira de um colapso nervoso. Estes, se pudessem, optariam por integrar a primeira leva de despedidos de um banco, contemplada com chorudas indemnizações, antes que os despojos diminuam ou «sequem» – no cenário nada inverosímil de uma nacionalização. Valeria e Giorgio sabem o que todos já sabem: ficar significa mais trabalho, mais *stress,* ausência de bónus, ou, na melhor das hipóteses, «bónus amarrados a condições» e sabem que, contas feitas, o escalão salarial a que Giorgio seria remetido, «derretido» mensalmente em Londres, não lhes permitiria poupanças e luxos a que se acostumaram. Ressalve-se, claro, a excepção do caso: para uma larga maioria que aqui arrendou ou comprou casa, e não dispõe de encostos familiares, por muito tentador que fosse o regresso ao país de origem, provavelmente para «férias forçadas», o desemprego representaria uma dura sentença.

Robin, uma australiana, permanece em Londres para as festas: impossível pagar cinco bilhetes para ir a casa. Não obstante, o que mais lhe pesa de momento na consciência é a necessidade de transferir a filha mais velha, aluna em Ascot, reputada escola privada de internato feminina, para uma escola estatal local e gratuita. A educação privada é um dos perenes mitos da cultura britânica, credo partilhado por tantos cidadãos da Commonwealth e talvez o último tabu a cair, no sentido de que a *upper class* admite mais facilmente separações e divórcios do que a incapacidade de prodigalizar o ensino privado aos filhos. Educar os filhos em escolas privadas que custam pequenas fortunas é repetir o gesto feito por gerações de pais e avós, garantindo aos filhos o acesso às melhores universidades, empregos, redes sociais, futuras ligações matrimoniais e familiares. É uma aposta de raiz das elites e de quem a elas almeja pertencer, suprimi-la é não remir a dívida que se tem para com os antepassados e correr o risco de escorregar na escada social. Robin paga creches privadas para os filhos mais novos a peso de ouro, defendendo as boas relações sociais que as mesmas granjeiam a crianças de três e quatro anos, apregoando com orgulho que prefere não ter mulheres-a-dias nem poupanças. A dor da necessária separação da filha mais velha aos doze anos internada em Ascot nunca foi pronunciada. A filha acatara bem a separação dos pais e irmãos, regressando a casa apenas para férias escolares e falando entusiasmada das actividades extra-escolares que Ascot, como outras escolas, é pródiga em proporcionar: teatro, música, literatura, uma companhia de teatro e orquestra juvenis, grupos de tertúlia literária.

O tom de vozes e conversas das mães mudou muito em meio ano. Que os bons tempos sumiram, que esta ilha andou a reboque dos EUA, do mercado financeiro, do dólar; que a indústria representa menos de um quinto do PIB; que agricultura, pescas e tecnologia são incipientes. O futuro, dizem, não passa mais por uma «engenharia financeira», passa pela aposta na «engenharia real». Mal o dizem, notam e deitam fora o engano. Voltam a procurar uma tábua de salvação para aguentar o embate e erguem-se, quando mais falham razões, os arautos da luminosa esperança. Uma mesma ideia conquista os ânimos: aquilo em que os britânicos são bons é na criatividade. Para onde olha Paris quando precisa de *designers* de moda? Hollywood quando precisa de actores? O mundo quando precisa de arquitectos?

Para Robin como para Laura, uma irlandesa mãe de gémeos, o Reino Unido tem como mais-valia a sua língua, cultura, educação, exportáveis para países como a China, Índia e do Médio Oriente. Será esse o futuro, ser a universidade dos países emergentes, providenciar a educação e a formação dos jovens que serão um dia os dirigentes dos países que decidem. E os exemplos esgrimidos são Oxford e Cambridge, para onde as famílias ricas, da China à Índia, continuam a desejar enviar os filhos; as universidades conceituadas do Reino Unido com universidades subsidiárias em Pequim, por exemplo, a Universidade Harrow em Pequim, subsidiária da Universidade onde Churchill estudou. Vêem como sintomática a febre dos estudantes universitários chineses pelas estrelas da cultura popular britânica: da banda de *rock and roll* à equipa do Manchester United, ao mundo do cinema e, uns degraus abaixo em fervor e adoração, a literatura inglesa.

Robin defende que o poder da cultura britânica reside na superior articulação do inglês do Reino Unido, face ao inglês dos EUA. Assim explica ela o complexo de inferioridade da cultura americana, face à sua cultura de origem, e a razão por que um anúncio na televisão americana com voz acentuadamente britânica tem eficácia garantida junto do público americano.

Laura, actriz *free-lancer* regressada de um Dubai que prosperou e rebentou a fim de participar na recente adaptação dos *Canterbury Tales* de Chaucer para a BBC, vai mais longe. Reconhecido o valor linguístico do inglês e sendo certo que a divulgação da língua inglesa não se espalha por obra e graça do Espírito Santo, sem empurrões, o governo deveria investir mais na BBC, guardiã da excelência, especialmente no seu serviço internacional.

Segundo outra mãe francesa ao lado, Véronique, a grandiosidade da cultura britânica fica a dever-se à mistura certa de intelectualidade e de comércio ou pragmatismo. A França desequilibra-se em demasia para a intelectualidade, os EUA para o comércio e o pragmatismo. A Grã-Bretanha alcançou o bom equilíbrio.

Robin e Laura falam em manter a cultura britânica vibrante em casa, para que exerça o máximo de poder magnético em redor. A demasiada intervenção estatal atrofia a cultura, repetem em coro. Quantas vezes me deparei com esta providencial desconfiança anglo-saxónica em relação ao Estado? O financiamento público é importante na fase de casulo e incubação, na educação, em bolsas de estudo para captar alunos brilhantes nacionais e estrangeiros, no desabrochar de futuros artistas, admite Laura. Mas quando a crisálida está formada, é desejável e saudável que bata asas e voe, que galerias, editoras, estúdios de cinema, sejam privados, bem como algumas universidades.

O que seria representar em companhias de teatro estatais, ironiza Laura que actua sobretudo em teatros de *pub*. «*Fredom is our gift*» (A liberdade é a nossa dádiva). A conversa não impressiona todas as mães. Emily, que tem estado calada, deita o primeiro balde de água fria: «Este é um país que tenta ganhar a vida com conversa, conversa e mais conversa, não esperem que isso baste para nos tirar do poço.» Como vamos desenvolver actividades que não possam ser duplicadas noutras partes do mundo? Ou competir com a mão-de-obra chinesa e indiana, qualificada, especializada e a baixo custo?

E, chegando a casa, leio que Jonathan Ross, um comediante da BBC, suspenso de actividade por, em directo, ter insultado e deixado obscenidades no atendedor de chamadas de um actor septuagenário, regressou à BBC. Em directo, Jonathan aproveitou para se desculpar: «Vou aproveitar a oportunidade para pedir desculpa pelo que disse na rádio porque estar na BBC e poder fazer uso deste nível de liberdade para comunicar abertamente com as pessoas é um grande privilégio e algo que sempre apreciei e valorizo enormemente. No futuro tenciono ser mais consciente da responsabilidade que vem com essa dádiva.» Palavras que ecoam pelo meu prédio, silencioso, desabitado com a revoada de inquilinos. Os australianos perderam o emprego na banca, apenas a quatro meses de se tornarem pais. Mudaram-se para casa da irmã dele, adiando o regresso à Austrália, na esperança de arranjarem um emprego a cada dia mais improvável. Partiu um outro casal que apenas aqui residia por gerir uma loja nas proximidades, entretanto falida; e mantêm-se dois outros vizinhos com quem me cruzo nas escadas a horas de expediente, o que faz temer idêntico cenário de desemprego.

Fiona também já me fez saber que o seu emprego está em risco: nos próximos dois meses, a companhia de advocacia para a qual trabalha há doze anos e dá emprego a 1000 pessoas em Londres vai mandar para casa 10%. Ainda assim, a advocacia litigiosa a que se dedica está em melhores lençóis do que a advocacia bancária, a mais atingida pela recessão. Ela passou a trabalhar ao sábado, num gesto de boa vontade, que espera impressione a chefia e a poupe ao despedimento.

Fiona e eu trocamos receios quando nos juntamos a falar nas escadas, à medida que se torna evidente que uma classe média ficou desempregada, quase descalça, em vias de perder casas, reformas, poupanças, tudo aquilo por que lutou, aspiração e ordem natural das coisas em países desenvolvidos, países para lá da fasquia da sobrevivência. Receamos manifestações de rua, de quem se sente enganado, a boca aberta sobre um bolo posto debaixo do queixo, antes de rolar pelo alçapão; vendo os mais sagazes, bem informados, educados, a salvo, se ilhas de salvação não são frágeis pedaços da imaginação. Ficámos todos mais vazios, no vazio que vem de não sabermos para onde ir. Pois, não foi apenas o mercado financeiro – motor da cidade, motor do país – que se desmantelou, foi todo um sistema, cultura, que fazia dinheiro de dinheiro, sem acrescentar trabalho, saber, tecnologia, implementado neste país com uma força, um sucesso, inexcedíveis por outros países europeus. Nesses momentos, Fiona e eu ficámos próximas, como não teria sido possível há uns meses e o seu indefectível optimismo e a sua força interior fazem-me acreditar que renasceremos, a cidade, eu, ela, todos nós, para o que ousarmos tentar, tentar.

Janeiro 2009

Janeiro de 2009 chegou frio, com brindes de temperaturas negativas entre os 5º e os 10º, mas o frio não é acompanhado de chuva e as gretas estalam na sequiosa superfície de Highbury Fields. No Norte de Londres o terreno é argiloso, barrento, a espaços a seca provoca o aluimento de terrenos e edifícios. Pequenas rachas, pequenas fissuras, são observáveis, aqui e ali, no exterior e no interior das casas.

Na Euphorium já não se fala português. Os últimos brasileiros debandaram e não afluem outros para os substituírem. As tomadas de electricidade foram bloqueadas, assim escorraçando quem, como eu, desejava ali servir-se do computador pessoal. Não importa sermos clientes fiéis ou esporádicos, caímos todos no mesmo saco, por ocuparmos as mesas longas horas, em troca de uma facturação sofrível e do aumento da conta de electricidade. Papéis na vitrina dos bolos anunciam, pela primeira vez, promoções de comida: «Pague uma sanduíche ou um *croissant* e leve dois.» Este constante acenar com dois artigos pelo preço de um (dois pares de calças pelo preço de um, dois pares de óculos pelo preço de um) não me parece medida inteligente. Como é que se pode fazer lucro deste jeito? Está bem que assim seja, quando o *stock* é muito e há enorme pressão para o escoar. Mas, quando se trata de bens de primeira necessidade, como é o caso de comida, que lucro pode o comerciante fazer se dá dois pelo preço de um? É que se entrou numa alarmante deflação de preços, que descem, descem sem parar, que não pode ser saudável. Temos de pagar um preço relativamente justo pelos bens, temos de ter a noção do que eles efectivamente custam, assim não vamos aprender nada. E na verdade que estímulo económico é que tais promoções podem causar? Quem precisa de umas calças não vai deixar de as comprar, quem não precisa de umas calças não as vai a correr comprar porque, de repente, pode obter duas pelo preço de umas. E, se vai, faz mal. O pânico de não conseguir vender cega. Leva um luxuoso restaurante em Faringdon a oferecer refeições à borla, cobrando apenas as bebidas consumidas.

«That's another fine mess you've got us into» (Mais um belo sarilho em que nos meteste!) é a piada de um jornal ao Governo, após a primeira injecção de 37 biliões de libras ter falhado e o Governo se ver agora na iminência de ter de passar o que é visto como um cheque em branco. Fechou portas a famosa faiança inglesa Wedgwood com 250 anos de existência e entrou em falência a cadeia Zavvi que em má hora comprou a Virgin *megastore.* Soube-o com a inclemência com que os acontecimentos aqui se desenrolam. Entrei na Zavvi de Piccadilly para comprar uns CD, talvez um DVD, e vejo uma nota de papel colada na parede a dar conta de que a loja está em liquidação total. Os CD já ao preço de 5 libras ganharam um desconto adicional de 10%.

No dia seguinte, decido-me a ir comprar peixe à Fishworks de Upper Street e deparo-me com mais um desses papéis brancos, idêntico ao que encontrara na Zavvi, a comunicar a entrada em liquidação total, seguido destas amáveis palavras: «Aos nossos leais clientes: Gostaríamos de poder agradecer todo o vosso apoio e continuado esforço para tornar este espaço um lugar agradável de trabalho. Infelizmente, tivemos de encerrar dados os tempos difíceis que atravessamos e vamos todos para casa descansar. Mais uma vez obrigado pelo vosso apoio ao longo dos anos. Foi um prazer atender-vos. Cumprimentos. A loja Fishworks de Islington.»

É assim. Não é lucrativo. As portas fecham-se sem aviso nem delongas. Por todo o lado. Clifford Chance, um dos maiores escritórios de advocacia na City de Londres, despediu 80 advogados. First Quench fechou 400 lojas de venda ao público de álcool. Corus, uma gigantesca companhia siderúrgica, cortou 2500 postos de trabalho. Quem trabalha na City vive no constante stress de ver colegas, conhecidos, amigos, despedidos e de temer pela própria sorte. A previsão de desemprego até ao fim do ano foi revista para os 3 milhões. A libra continua a desvalorizar face a todas as outras moedas estrangeiras, dólar, iene, euro e as casas em Londres desvalorizam, a uma média de 100 libras por dia.

Em casa o Governo pondera se há-de imprimir dinheiro ou fazer descer as taxas de juro abaixo dos dois pontos percentuais e, na frente de combate ao desemprego, prepara a criação de emprego público em escolas, hospitais, transportes, ambiente e infra-estrutura (por exemplo, a abertura de um terceiro terminal em Heathrow). O corte das taxas de juro já produziu uma desvalorização da libra que bateu o recorde de 1,04 em relação ao euro. A confiança na libra está abalada, indissociável do receio de que os maiores bancos (Royal Bank of Scotland, Lloyds/HBOS e Barclays), contaminados com activos tóxicos não erradicáveis, venham a ser nacionalizados. A libra é deixada à sua sorte e prevê-se que alcance a paridade com o euro, desejável nesta fase, até para expulsar ou pelo menos tornar menos atraente a estadia de europeus e outros estrangeiros que competem com os britânicos no mercado laboral e pesam no generoso sistema de benefícios sociais. A desvalorização da libra funciona como pau de dois bicos: do ponto de vista negativo, encarece as matérias-primas importadas e origina o queixume de quem delas depende. Do ponto de vista positivo, favorece o turismo, embaratece as exportações e, mais importante do que isso, visto que esta ilha tem cada vez menos para exportar, encarece as importações e torna mais atraente o consumo interno dos bens de origem britânica.

De resto, por muito que se fale do relançamento das exportações, do renascimento da indústria, do empurrão que podem proporcionar companhias nacionais com dimensão internacional, fortes na área farmacêutica e da aeronáutica, tudo isso está a milhas do horizonte. De momento, aquilo sobre que se pode mais rapidamente actuar é o consumo interno. E se Brown continua a apelar a uma actuação internacional e em Davos alerta para o perigo da «desglobalização», a realidade é que, em casa, já se notam sinais de proteccionismo económico. Os supermercados foram avisados para não aplicarem mais etiquetas de produto nacional (*«Made in the UK»*) a produtos que integrem ingredientes estrangeiros (por exemplo: uma quiche de galinha feita no Reino Unido com galinha estrangeira e que, até há pouco, tinha direito ao rótulo de produto nacional, perdeu-o). Espera-se com isto estimular o consumo nacional de bens alimentares exclusivamente britânicos, activar todo o sector primário, da agricultura à pecuária e à pesca, objectivo que não parece irrealista dada a comprovada natureza nacionalista em tempos de crise. Por detrás das palavras de Brown, a perder a vantagem que levava relativamente a Cameron, ouve-se o apelo à autoconfiança e amor pátrio: *«All Britain needs is confidence in itself!»*[5]

«British jobs for British people», um *slogan* que Brown usou e que agora volta para o assombrar, ecoa numa refinaria de petróleo do Lincolnshire, por ter sido preterida a contratação de trabalhadores britânicos em favor de trabalhadores portugueses e italianos. A companhia fez uso de uma directiva europeia que lhe permite contratar mão-de-obra estrangeira mais barata do que a nacional para, de facto, proceder a uma subcontratação. Qual rastilho, o *slogan* propagou-se a uma dezena de companhias congéneres, de gás e de electricidade. E alçou outros rabos-de-saia: os jogos Olímpicos de 2012 geraram uma enorme expectativa de criação de empregos para cidadãos britânicos. As cinco autarquias olímpicas deveriam recrutar localmente a mão-de-obra destinada a construir as infra-estruturas olímpicas. O site oficial, que lidera o recrutamento, carecendo de rigor, classificou como «trabalhadores locais» não-britânicos a residirem provisoriamente nas ditas autarquias. E até um trabalhador ucraniano a viver num Bed and Breakfast conseguiu, desse modo, ser contratado para as obras olímpicas. Crescem incómodos que antes nem se notavam. Um milhão de crianças em fase escolar (cada uma em sete, na escola primária) não tem o inglês como língua-mãe, obrigando os professores a um maior esforço.

O FMI alertou que este ano a Grã-Bretanha vai estar no último lugar da lista da liga dos maiores países desenvolvidos, no ano mais fraco para

---

[5] Tudo aquilo de que a Grã-Bretanha necessita é de ter confiança em si mesma.

a economia global desde a Segunda Guerra Mundial. As previsões refazem-se: o sistema financeiro ressurgirá mais pequeno, a economia mais frugal, menos dada a excessos, mais segura. Os conservadores afirmam que «os banqueiros gananciosos, que despoletaram esta crise financeira, devem ser criminalizados» e descobrem-se mais escândalos e corrupções. Quando aqui cheguei, a Câmara dos Lordes gozava de uma reputação imaculada. Imparcialidade, independência, defesa dos interesses nacionais. De súbito, alguns lordes passaram a estar sob investigação. Explico: os lordes gozam da faculdade de acumular a função de par do Reino com a de consultor extraparlamentar, faculdade que, em contrapartida, os obriga a declarar o conflito de interesses sempre que sejam trazidos à discussão e à votação camarária questões do âmbito das suas consultadorias extraparlamentares. Ora, suspeita-se que alguns dos lordes – e são um quinto os que acumulam funções extraparlamentares que se movimentam dentro desta área pardacenta – não declararam no passado esse conflito de interesses quando interrogaram o Parlamento. Mais grave ainda, quatro deles iam receber dinheiro para influenciar o sentido de voto na legislação que o Governo estava em vias de aprovar. Aos olhos da opinião pública está quebrada a confiança no sistema e, a fim de a restaurar, foram pedidas novas regras que permitam a punição dos lordes, caso se prove que são corruptos, com penas de suspensão, expulsão e privação dos títulos nobiliárquicos. *Private Eye,* uma revista satírica de VIP, activa desde os anos sessenta, apesar de muitos processos perdidos e de indemnizações aos ofendidos que, não fossem os benfeitores, a teriam levado à bancarrota, tem na capa uma *lady* a inquirir o seu marido: «O que vais fazer se perderes o título?» «Compro outro», responde-lhe o lorde.

A provarem-se estes casos de corrupção, estamos perante mais um ensinamento que a crise nos trouxe. As zonas «cinzentas» são tentações e, por isso, carecem de detalhada regulamentação, de elementos dissuasores e punitivos para os prevaricadores. Deparamos na vida mais com áreas cinzentas do que brancas-pretas e, quando tal interfira com o interesse público, não pode ser deixado ao livre arbítrio individual.

A cidade ainda está vazia e só aos poucos se reanima. No Brasil, diz-me Sheila, «o ano só reabre depois do Carnaval»; aqui, no entanto, é fenómeno inusitado. Não se sabe se é o frio que não convida ao passeio, se são os muitos estrangeiros que aqui residem que ainda não regressaram das festividades natalícias nos países de origem; se são os muitos trabalhadores arredados dos empregos por tempo indeterminado, em suspensão agoniante, até a empresa decidir se é rentável continuar a actividade ou fechar portas. As fábricas de automóvel nacionais (Jaguar Land Rover) e estrangeiras a operar no Reino Unido (Honda, Nissan, Toyota, General Motors Vauxhall, BMW, Ford) enfrentam dificuldades. E optam entre fechar pólos de produção (GM Vauxhall), decretar uma suspensão de produção até Junho (Honda) ou terminar com alguns modelos da respectiva marca (Toyota), na esperança de salvar postos de trabalho. O Governo vem em auxílio com vinte e três biliões de libras, exigindo como contrapartida a produção de carros «verdes», com reduzidos níveis de emissão de dióxido de carbono. Também os pequenos comerciantes com quebra nas vendas abonaram os trabalhadores com uma folga acrescida, até ao fim de Janeiro. Um artigo de jornal chama a atenção para a probabilidade de aumento de divórcios no início de 2009, uma prova dupla de difícil superação aguarda os casais: os apuros financeiros, à saída do stress da quadra natalícia.

Sheila diz-me que o Brasil, de início mais resistente à crise, se junta à tendência mundial. Numa semana, 21 mil pessoas perderam o emprego, sobretudo no sector automóvel; empregados da Chevrolet, em Uberlândia, e da Fiat em São Paulo, em férias de descanso laboral. As mães, regressadas de férias, enchem lentamente a Euphorium. É bom estar de volta, dizem: «Dá sempre a sensação de que alguma coisa importante está a acontecer em Londres. Se não estás aqui, estás afastada da acção.»

Laura é a primeira a comentar um relatório recém-chegado a público que, a seu ver, culpabiliza as mães trabalhadoras. *A Good Childhood. Searching for Values in a Competitive Age*[6], elaborado por onze peri-

---

[6] *Uma Boa Infância. Procurando Valores numa Época Competitiva.*

tos e oito professores, defende a necessidade de um dos pais ficar em casa no primeiro ano de vida do filho, preferencialmente até ao seu segundo ano. O que podemos esperar ao fim de dois anos afastadas do mercado laboral?, pergunta-nos ela. Robin e Valeria, recompensadas pelos anos de exclusiva consagração à família, abstêm-se de comentários.

O relatório culpabiliza também pais que se divorciam, prossegue Laura. Até aqui o interesse da criança coincidia com o interesse dos adultos. Se a felicidade do adulto passasse pela separação ou pelo divórcio, entendia-se que isso seria benéfico para todos. Agora, dizem-nos o contrário. O colapso da família tradicional, as famílias monoparentais, os pais ausentes, as mães trabalhadoras, o enfoque dos adultos no sucesso pessoal, são todos factores potencialmente nefastos para as crianças. Um quinto das crianças britânicas é infeliz, os níveis de confiança são os mais baixos do mundo, e um relatório da UNICEF descobriu que os jovens britânicos eram os mais infelizes de entre as nações ricas. A somar ao mais elevado índice europeu de adolescentes grávidas. O relatório fala da necessidade de uma sociedade eticamente mais cuidadosa, menos agressiva e «egoísta», mais voltada para a ajuda comunitária, concluindo que criar uma criança é uma das tarefas mais desafiantes da vida e requer idealmente duas pessoas.

Esperando desejar um bom ano novo a Mr Uemura, escolhemos o restaurante de *sushi* para primeiro almoço do ano. Em vez do nosso amigo, no entanto, esperavam-nos três jovens atrás do balcão, em bata e chapéu alto imaculados, agitados com facas em volta das peças de *sushi*, uns decibéis acima do habitual. Como clientes da casa, tivemos direito a uma explicação. Mr Uemura despedira-se no princípio do ano, dando nota da sua rescisão com um mês de antecedência. Três tentativas de largar o restaurante tinham ocorrido no passado, sem que delas tivéssemos conhecimento. Estávamos, no entanto, cientes da crescente vontade de Mr Uemura de regressar ao Japão, havíamos sido os únicos clientes a quem o confidenciara. Não sabíamos, porém, o dia nem a hora e acreditávamos em suma que tal seria no fim inviável para um homem à beira dos sessenta, carreira feita no Ocidente, ligeiramente desadaptado em qualquer canto do mundo, e que o desejo viveria eternamente no seu coração, sem se concretizar. Traçáramos o seu destino implacavelmente, sem medir o suplício por que passava, agravado pela morte da irmã, uma perda que Mr Uemura tinha mantido secreta. Sem medir que se tornara mais premente fazer fosse o que fosse, pôr um ponto final à vida que mantinha, ao seu mal-estar interior.

Por detrás da explicação comunicada pela empregada, conseguíamos avistar as cristas da sociedade japonesa. Foi-nos dito que Mr Uemura dava preferência a clientes antigos como nós, e que não o devia fazer. Pressentimos uma conspiração por parte dos colegas de trabalho. De outro modo, como teria chegado aos ouvidos do patrão o tratamento diferenciado de clientes?

Outro dos argumentos que teria prejudicado Mr Uemura teria sido a sua falta de receptividade à descentralização de tarefas. O modo como sempre tinha recusado a delegação, o alívio do seu fardo. A sua demasiada crispação e irritabilidade. Nada soava convincente. Porque a um mestre de *sushi* permitem-se tons de comando, flutuações de humor, permite-se reinar e repreender, concede-se uma posição hierárquica incontestada, como todas na sociedade japonesa.

Dois dias depois Mr Uemura visitava-nos pela última vez em nossa casa. Falou hora e meia e nem uma alusão fez a colegas, patrão, desentendimentos, conspirações ou ressentimentos. Falou da eterna miragem de um Japão a chamá-lo. Mexia no fundo da sua memória, misturava, como tantos japoneses da sua geração, um comunismo a um plácido ecologismo. Para ele o Japão persistia rural, feito de colectividades em harmonia com a natureza. Uma natureza respeitada e não exaurida, da qual o homem recolhia o necessário e suficiente alimento para o corpo, com o cuidado de o repor. Esta a humilde opinião e panaceia de Mr Uemura para os males da civilização actual. A sua esperança mais redentora para si e para a humanidade inteira residia na sua infância, na sua terra natal, no Japão, um país incomparável, e era a eles que ia voltar, curvando-se ligeiramente para a frente, curvando-nos nós na mesma vénia, no *hall* do aeroporto, antes de desaparecer pela porta de embarque.

Há Raposas no Parque
Crónicas de Uma Portuguesa em Londres

Há Raposas no Parque
Crónicas de Uma Portuguesa em Londres
Clara Macedo Cabral

Copyright © Autora e QuidNovi
Reservados todos os direitos para esta edição

Design e produção: QuidNovi
Impressão e acabamento: Tipografia Peres (www.tipografiaperes.com)

1.ª edição: Maio de 2009

ISBN: 978-989-628-138-0
Depósito legal: 291.808/09

QUIDNOVI

QN – Edição e Conteúdos, S.A.
Praceta D. Nuno Álvares Pereira, 20 3.º CJ, 4450-218 Matosinhos
Tel. +351 229 388 155 | Fax. +351 229 388 155

Avenida Infante D. Henrique, 333 H 2.22, 1800-282 Lisboa
Tel. +351 218 509 080 | Fax. +351 218 509 089
www.quidnovi.pt | quidnovi@quidnovi.pt